頭山翁清話〔全〕

大西郷の逸話

西郷（南洲）が征韓論の議協わず、鹿児島に帰って悠々閑居していた当時のことじゃ。家の戸障子は破れ、畳建具など一つとして満足な物はなく、雨露は用捨なく降り込むというありさまであった。

夫人は西郷の徳を受けて、やはり堅忍した婦人であったという。ある日西郷に向って、「畳建具や戸障子の破れたのは我慢ができますが、雨だけは洩らないように屋根を繕いたい」といったそうじゃ。すると西郷、憮然として、「お前はまだ俺が解らんか」とただ一言答えたと、当時の門下生であった荒尾精が語っておった。

○

それからまた西郷が若い時分のこと、かの吉井友実の家に遊びに行った。すると傍に女中が来ていたそうじゃ。そいつに西郷が心を動かされたと見える。たちまち吉井に向って、

「俺の嫁に世話せぬか」といった。すると吉井が、

「それは甚だ易すいこと……しかし真実か」

「なんで嘘をつくもんか」

「それじゃ結婚は何日にしょう」と日を約して吉井がその女を同行する事としたそうだ。

その日は心ばかりの酒肴を整えて、時刻の到るのを今か今かと待っていた。しかし待てど暮せど待人が来ない。夜を徹したがついに来なかった。すると西郷は翌日さっそく吉井の宅に行って前日の違約をなじった。吉井はびっくりして、

「あれは真実か。天下の大事ならば嘘言はなく真実と思わるるけれど、これこそ戯談だと思っていた」と言うと、西郷は色をなして、

「天下の大事なれば何人にも語る。されどこんな話は貴様と俺と知己の間柄なればこそ話したに、それを何ぞや戯談というて違約し不誠実をするならこの後絶交する」とて大いに怒って以後交わらなかったそうじゃ。

ほかの奴がとりなして、再び交わらしめようとしたがついに聴かず、数年の後ある機会で友人らが吉井に前非を詫びさせて、やっとまた交わるようになったそうじゃ。

左内坂時代

自分がちょうど二十六、七のころ、牛込の左内坂に、元気な連中と六、七人でおった。初めのうちは着物を作ってやり、布団を買ってやり、洋傘を求めてやるしておったが、いつの間にかそんな物はたちまち無くしてしまう。後には冬は布団なし、夏は蚊帳なしで、

雨や雪にでも降られようものなら、着類をうんと濡らしておいて、うちに帰って全然脱ぎ捨てて、素裸になって押入にはいる。そして襖を締めきって「こいつは暖い」くらいの調子でいつも襖が布団じゃった。

飯は近所の弁当屋から取り寄せて食っておったが、その食料がまた一、二ヶ月ぐらいは滞りよった。

あるとき自分らが二階の押入に寝ておると、飯屋の女中が掛取りにやって来て、

「お払いはいかがですかねー」という声がいかにも可笑しいので二階からくすくす笑ったところが、声がすると思うものだから二階の梯子に上って来て、また、

「お払いはいかがですかねー」というた。

そのとたんに、大きな男が幾人も押入から真裸で飛び出した。驚くのも無理はない。女中は一散に駆け戻ったような奇談もあった。

○

当時はまだ、郷里に帰るにも汽車はなし、船ぐらいで往き来しておった。

急な用事ができて福岡に帰らねばならぬことになったが、さて旅費がない。で進藤（喜平太）とも相談して、

「誰か持ってはおるまいか。松田正久はどうじゃろう」ということになって松田の処にやって行った。

松田のいうには、

「貴兄たちのような身なりでは金貸も貸しますまい。ちょうど私が郷里へ帰る旅費を用意しているから、これをお持ち下さい」といって貸してくれた。後ですぐ返しはしたが、金銭に淡い松田の旅費で郷里に帰ったなぞは可笑しな話で、よほど自分たちの風采が変っていると見たらしい。

その頃は今日のように衣食のために早く地位にありつこうなどいう若い者はいなかった時代で、玄洋社の者は、道のために事をやるという段に至ると、先を争ったものだった。身を殺して働いた者でもあると、羨んでやまぬというありさまだった。

旅行するでも金なぞ持ったことはない。いつも無銭旅行じゃった。行きたければ二十里でも三十里でも行く。食う物があればいくらでも食うが、無いとなると二日でも三日でも平気で断食した。

日露の今昔

日露戦争で日本から手酷くやられたので、ロシアも、これまであまり日本を見くびっておったことを覚った。それでこんどドイツと戦争することになって、日本の後援に依らないとうまく行かぬということを知って、日本と手を握るようになり、今度の日露協約ができあがった次第じゃ。

日露戦争前のロシアの傲厳というものは、日本を見ることまるで朝鮮同様で、また日本の政府の役人どもも、ロシアを恐れること非常なものであった。

かの大津事件として有名な、当時の露国皇太子が大津の辺で、護衛についておった巡査の津田三蔵（つださんぞう）とかいう者に切りつけられたことがある。何でも皇太子が「日本を公園にする」とかいったとかで、無理千万なという考えで、いまだ武士気質（かたぎ）ではあり、前後の考えもなくいきなり切りつけたらしい。

このときの日本上下（しょうか）の騒ぎは非常なものであった。今にもロシアが兵を向けて日本を取り潰しはせぬかと、色を失って大騒動した。そこで畏れ多くも　明治天皇がわざわざ露国皇太子の座艦へお見舞いに入らせらるるということまで行われた。

それから日清戦争になって、日本が勝つには勝ったが、それは支那から勝ったので、ロシアに対しては相変らず畏れを抱いておるという始末で、せっかく得た遼東半島を還付せねばならぬ事となり、勝っておりながら負けた次第で、これはみなロシアを恐るるところから来た結果であった。

そこで今度は、露国の横暴を憤る声が日本の気骨ある者の中に起こって、露国討つべしという気勢を表してきた。

しかし伊藤（いとう）（博文（ひろぶみ））、井上（いのうえ）（馨（かおる））らは、とうていロシアには敵（かな）わない、怒らせては一大事だから仲よくして同盟でもやろうという意見でおった。

そこへいくと桂(太郎)は一段上であった。このままロシアと同盟でもしようものなら、夫婦と同様、つねに日本の頭はロシアのために抑えられねばならぬ。で、いちど手酷く叩きつけておいて、そのうえで五分五分対等の同盟なり協約なり結ぼうというのであった。自分らも賛成で同意見であった。

しかし、いまだ伊藤、井上らは「俺どもの眼玉の黒い間は、どんな事があってもロシアと戦争なんかやらせてたまるか」というて頑張っていたので、どうせ邪魔になるならこ奴らから片付けてやろうと思うておった。

またロシアでも日本をあまく見ておった。日本人は誰でも伊藤、井上のごとき腰抜けぞろいと見くびっておったから、どんなことを仕向けたからとて日本は戦争なぞやれるものでない、よし戦争になったところで勝敗の数は明らかであるとしておったらしい。

そして戦争をやったわけじゃ。しかし戦ってみたら初めて双方の力が明らかになり、雨降って地固まるで、またこれが土台になって今度の協約もできあがったわけじゃ。

わずか十年か十四、五年前まではこちらから頼むというありさまであったのが、今回は先方より頼むという始末で、僅々の間に勢いが急転して反対の結果を見るに至ったことを考えると、日本には何らか天の大使命を負わせられている感じがする。

伊藤、井上らも、心にもない戦いに勝って思いがけない手柄をたて、優渥な天恩に浴して爵位やら勲章やらいただいて、さだめし有難いやら畏れ多いことであったろう。

平野国臣の沈慧

平野国臣というと詩人的の英雄と評されておるが、また実に沈着で、敏慧なところがあった。

尊王の大義を唱えて、席暖まる暇もなく東西に志士論客を説きまわって、非常に幕府の忌諱にふれて厳しい詮議をうけたときの話であるが、筑前を出て他藩の旅寓に身を潜めて、しきりに回天の策を講じておった。

そこへ、どこから探ね出したか、筑前黒田藩で有名な腕利きの捕手がやって来た。同藩のことではあり、かねて顔も知っているので、国臣は心安くこれと談じて、さていうには、

「自分がためにかくも足労をかけることは甚だ忍びぬところである。いずれ他藩の者より捕われる身であるから、それよりは君の手に捕われるほうがいかばかり本望かもしれぬ。で潔く縛につこう。しかしかように取り乱した状では面目にかかわるから、武士は相身互という言があるから、急いで身仕舞いするからしばらく待ってもらいたい」と極めて落ちつき払って話しかけた。

捕手も、平野があまり立派な態度で平常とすこしも変らぬところに思わずお相手になり済まして、落ちつき払って快く承知した。

「それではしばらく」といって平野は次の間にはいった。

ややしばらくすると身繕いして「お待たせした」といいながら、さっと襖をひらいて出て来ると、見る間にたちまち捕手を捕えて反対に縛りあげた。そして静かに捕手に向って、「じつは君に縛られたい。しかし自分を縛ったところが君一人の手柄にしかならぬ。しかし自分が一身はじつに拙者一人のものでなく、皇国のために捧げておるのであるから、いやしくも一人の私の利害のためには捨つるわけにいかぬ。はなはだ気の毒であるが、ここでしばらく辛抱してくれ」といって柱にその捕手を結びつけて、悠々としてその家を立ち去った。

その捕手は非常に敏腕の奴で、この者の手にかかったら免るる者はないという定評のあったくらいであったが、平野の「棒」と「捕縄」はまたいっそう鮮やかな達者であったとのことである。その父がまた非常に斯道の達人であったというから、親譲りであろう。

それに正義に燃えた大胆と、敏慧な智脳が働くのであるから、とうてい利欲一点張りの捕手風情では敵せぬのも道理である。

体格は西郷のように偉大でなく並といわれておるが、眼光は一種の冒すべからざる威厳があったということである。非常に達見があり、大局の見えたものである。

○

かの筑前と肥前の国境に「脊振山」という弁財天を祀った三千尺からの山がある。その所有権争いが、筑前の黒田と肥前の鍋島との間に起こった。

双方権利を言い張ったが、肥前の鍋島では数年前からちゃんと準備しておって、ところどころに石を埋めなどして他日に備えておったから、なかなか腰強く来る。長崎港の守備が筑前と肥前とで一年交替に人数を出して堅めたもので、黒田と鍋島との間には交渉の絶え間がなく、非常に睨め合っておるという風であった。

これを見た平野は、非常に大人気なく思って、

「山の一つぐらいは鍋島へくれてやるがよい。不正なことをして山の一つぐらい取るよりは取られたほうがよほど勝利である。また長崎港の堅めのごときは些事である。よろしくこれは肥前の鍋島に一任して、筑前の黒田では五十二万石の力を挙げて京都の皇居の禁衛に任ずべしである」と力説していた。

あたかも徳川三百年の栄華の夢が醒めかけた時で、炯眼な平野は早くもこれを看破して、黒田藩を打って一丸となし、禁衛に当って天下をひと揺り揺ってやろうという大策をたてておったのである。

もしこの言が用いられておったら、結果は図られなかったのである。

しかし大声俚耳に入らず、大言する人、危険なことを企つる人ぐらいに思って呆然たる輩が多かったので、大藩でありながら殊勲をたて得なかった次第である。
○

維新の国事に奔走した志士はいずれも詩歌をよくしたようであるが、平野はまた格別に達意な、熱誠に燃えた、雄大な歌がある。

徳川の権勢を尻目にみて、王政復古をかたく信じて、

　あまつ風吹くや錦の旗の手に　靡かぬ草はあらじとぞ思ふ

と詠んで、時人をして適帰するところを知らせ、また、

　見よや人、嵐の庭のもみぢ葉は　何れ一と葉か散らずやはある

と詠じて、皇国のため命のあらん限り尽す心事を吐露したごとき、あるいは、

　我が胸の燃ゆる思ひに較ぶれば　煙りは薄し桜島山

の一句に薩南の兵児をして顔色なからしめたごとき、いかにも遺憾なく人物を彷彿さしておる。

いったい平野は「寸後回すべからず、寸前知るべからず」といって、つねに白刃が頸に

擬せられているという決心で、一瞬間でも働いただけ働き儲けである、刹那刹那これすなわち一生であるという信念で王事に奔走したのである。

で、いかなる事があっても自殺なぞはせぬ、やれるだけやる、死ぬるまでやり通すという主義であったのじゃ。

○

平野は文久十一年の三月生まれで、小金丸（こがねまる）という家に養子に行って、三歳になる男の児まであったのであるが、国事に尽すには一命は無きものとして掛らねばならぬ、また自分一人はいついかなる処で斃（たお）れても覚悟の前であるが、周囲に迷惑をかけては可哀想であるというところから、三十のとき隠居届をして、養家を去って平野家に戻り、後顧の憂いを絶ったのであるが、子供のことは忘れ切れぬこともあったであろう。

生野銀山に澤三位（さわさんみ）（宣嘉（のぶよし））を奉じて尊王の旗を翻した。守れるだけ守ったが、とうとう打ち破れて、逃れて因州に入り、豊岡藩に捕われて姫路に幽閉されたが、京都に送らるる事となった。じつに日頃の死ぬまでやるという主義であるから、逃れられるだけは逃れたが、いよいよ縛（ばく）せらるるとなると命を知って、人物が躍如として発揮されている。

元治元年かの七月である。京都は幕府の兵燹（へいせん）にかかった。この騒ぎに紛れて幕吏は、三十三人か一所に獄所に入れておいた勤王の志士を、いちいち切るのが面倒であるというので牢の外から槍でもって突き殺した。

ところが来島（又兵衛）、真木（和泉）をはじめとして、いずれも豪傑たちであるから、なかなか従順にしてない。あるいは眼を恚らし、あるいは声を激して、罵るやら槍をもぎ取ろうとするやら非常な騒動をやった。

しかし独り平野は、これらの騒ぎは見むきもせず、整然と壁を背にして端座して、皇居に向って恭しく合掌して突きに来るのを待っていた。

すると初めの槍が胸に立った。平野は、少しも動ぜず左の袂でもって槍の血潮をふき取った。するとまた再度の槍は喉近くに突き通った。これもまた右手で袂をもってきれいに血潮をぬぐい取って神色自若として死に就いた。時に年三十七といわれている。

このことは平野を殺した者が「じつに惜しい人を殺しました」といって越後の者に述懐したのを、その越後の者が自分に話した。

洋服着た写真

俺の洋服着た写真か、それは今から四十年ぐらい前、平岡浩太郎が作ってくれた。

平岡が、ボロ洋服着して底の破れたような靴をはいて、俺といっしょに浅草に行く時分じゃった。

「君にぜひ洋服を着せて写真をとらしたい」といって、そのころ掛で作ってくれる鷲塚とかいう洋服屋に連れて行った。

俺が「せっかく作ってくれるなら一番いい奴を作ってくれ」といって作らした。

そして平岡が、靴下まではかせられて、「君には閉口」といって逃げ出した。

俺に「せっかくすすむなら何もかもついでにしてくれ」といっとるものじゃから、帽子から靴から靴下まで揃えてきせてくれた。

平岡も自分でいい出したものの、あまりと思ったと見えて、

「もう俺ものさん（嫌だ）」とこいて逃げ出した。写真はその時のじゃ。

そして平岡といっしょに道を歩いておったところが、風が吹いてきて帽子を泥溜りに吹き飛ばしてしまった。それから帽子なしでしばらく歩いていたら、好かぬ奴じゃったが、友人の大庭広というけちな奴が、

「東京は変な者がおる処じゃが、そんな立派な洋服着て、帽子かぶらんで歩いとるのはおかしい」とこいて、自分で買ってきて寄附した。

この洋服屋じゃ、来島（恒喜）に今度は俺が洋服を作ってやったのは。

黒のモーニングとかいう奴じゃった。

来島が「これは善すぎます。もっとおろよかな（悪い）とでよございます」とか遠慮したことがあった。今でもある。

仙厓の師

聖福寺の仙厓和尚の師というのは熊本の者で、十一ぐらいのときに、福岡に逃げて来て修行したものじゃそうじゃ。

何でも熊本におるとき、藩の家老が代参で寺参りに来たときに、茶をくんで持って行って、家老に茶碗を手渡そうとする時、どうしたはずみか、茶がかえったそうじゃ。

すると家老が色をなして、

「この馬鹿小僧」と叱りつけたという。

すると小僧負けてはいず、

「この馬鹿家老」とやり返したという。

それから家老がますます立腹して、

「手をついてあやまらねばぜひ申し受けて手討ちにする」といって聞かぬという。

和尚が何とあやまっても承知せぬものじゃから、不憫そうに、小僧に向って、

「お前あやまりに行け。そうでないと、若い身で斬られねばならぬ」とさとした。

ところが小僧がいかな聞き入れぬ。

「それは悪ければいかようにもあやまるが、全体、自分が悪いか家老が悪いか、分りもせぬことにあやまる法はない。で手討ちにするというなら、それはどうも向うの勝手で仕方ない。自分は家老の前に出る」という。

和尚は思案に余って、

「貴様がも少し年でもとっておれば逃してやることもできるが、十一やそこらでは一人で手放すわけにもいかず」というたそうじゃ。

ところが小僧の奴、

「なに、金さえあれば一人でもどこにでも行きます。年は十一でも何でも、かまったことはありません」というそうじゃ。

それから和尚も決心して、路金を与えて筑前に逃したそうじゃ。

小僧、虎口を逃れて筑前に来たが、どこに知る辺もない。思案の末、太宰府の天満宮に参った。そして、

「あなたは実にえらい神さまと聞く。私のような者が生きていて、立派な人物になって名を挙げ、世のためになるようであったら助けて下さい。しかし立ち腐れのようなつまらぬ者にしかなれぬのであったら、どうか即座に、今ここで私の命を奪って下さい」といって、瞑目合掌して一心不乱に祈願したそうじゃ。ところが命がなくならなかった。そこで非常に勇み立って、

「私の命をとって下さらぬ以上は、私は勉強すればえらい者になれるに違いない」といって、聖福寺に来て小僧から熱心に修行を積んで、とうとう紫衣（しえ）の僧となり金棒を曳かせて往来するくらいになった。

そこで熊本に帰って、その家老を訪（おとの）うた。ところがすでに隠居しておったというが、

和尚が「じつは今日は、あなたにお礼に参った」といって今までのことを物語ったところが、家老も非常に前非をわび、また出世をよろこんで、以後年々、米を送って敬意を表したという。

で聖福寺に熊本から米が来たという。

井上と鳥尾の人種改良論

井上馨の奴は商人根性の男だった。まあ一言でいったら商人の刀掛けぐらいの奴じゃった。ちょっと彼奴(あやつ)ぐらい愚劣な男は珍しかろう。小さい事はとにかくとして、大問題についても碌なことはしゃべらなかった奴じゃ。

早く西洋に行ってきたというので大変な西洋かぶれ。衣食住の身の周りの品物ぐらいが西洋かぶれたとて、まあ罪のない話じゃが、あ奴のはなかなかそんな軽い上(のぼ)せ方じゃない。有名な人種改良論とかを馬鹿な面(つら)でもしていうことか、悧巧ぶってしゃべり立てるというのじゃから非常な上せ方じゃった。

またこの井上の相棒どもが、兄(けい)たり難く弟(てい)たり難しの似寄った間抜けどもで、名論じゃくらいに感泣したと見えてますます馬鹿の念入りを尽した。

これを聞いたのが鳥尾得庵(とりおとくあん)で、平生から井上どもの間抜けには不快に感じておったくらいじゃから、さっそく井上のところへ押しかけて行った。そして井上を捕えて、

「井上、貴様は真面目にそんなことをいっているのか」と聞いた。

するとと井上が、

「いや実際西洋に行ってみると、とても日本なんぞ及ぶものでない。家の建て方から道幅の広さから眼のまわるくらい偉いものだ。で日本が西洋に一呑みにされずに、世界の仲間について行こうと思うなら、ぜひ人間から先に改良せねばいかぬ。日本人の小さい体で大きな西洋人と競争したところが、とても敵う（かな）ものではない。西洋人の種子（たね）を日本人に入れて西洋人とおなじ人間を造ることが何よりも急務で、これよりほかに日本を強くする道はないよ」と泣かぬばかりに説き立てた。

それから鳥尾が、

「そうか貴様がそれほど熱心にこくなら、俺が一つ人種改良の名案を教えてやろう。貴様すぐそれを実行しきるか」と尋ねた。

そこで井上が、

「いや善い事なら実行するとも」と言わせも果てず、鳥尾が、

「きっとやるね。よし謹聴しろ」といって、

「人種改良がしたけりゃ、まず第一に貴様の嬶（かかあ）や娘を毛唐の妾にしろ。それから日本中の婦人は一人でも日本人が手を付けずにみな毛唐の妾にせろ。貴様なぞが日本の嬶を持つと、また貴様のような馬鹿な児が生まれて、幾年（いくとせ）経っても日本は怜悧にならぬ。で貴様は一生

独身で〇〇でもやっておれ」

「どうじゃ、貴様すぐ実行するじゃろうね。どうじゃ」と怒鳴りつけた。

ところがこれには井上もぐうの音も出ず、黙って首を下げておったそうじゃ。

それから鳥尾が、

「やれるか。やれまい。馬鹿も大抵にしろ」とたしなめた。その気持といったらなかった。

以後井上はぷっつりと人種改良論はやめた、と鳥尾が話したことがあった。

久坂玄瑞の事ども

維新の際の長州の豪傑のなかでも、久坂（玄瑞）などはよほどの者じゃったということじゃ。学問もなかなかあって、年の十七、八の頃にはすでに大先生じゃったそうじゃ。

有名な島原の丸山作楽が久坂の門を訪ねたときは、久坂が十八歳で丸山が十六歳であったというが、

「おれもいかい人物にも会ったが、久坂のような偉人はかって見たことがない」といってその抱負と見識の遠大なのに驚嘆したということじゃ。

代々医者の家で、十四歳のときに母に死に別れ、その翌年十五歳のときにまた父を死なし兄を亡くして、だいぶ不幸が続いた様子じゃ。

十八かのときに詠んだ詩があるが、人物がよく窺われる。

少年何心徒飄然　鳩車竹馬送十年
秋林木脱貪梨棗　春野風和競紙鳶
十四不幸母就木　詩至六雅不忍読
十五家兄従父亡　医林継職杏花場
向人漫唱医天下　胸奥不貯療人方
是年十八成何功　不忠君兮不孝親
日月如駆志難酬　百感懐旧夢一覚
黽勉一語記荀経　積水成淵生蛟龍

というたと覚えている。

蛤門(はまぐりもん)の戦いで死んだが、なんでも長州の藩じゅうで幕軍と戦(いくさ)のやむなき事情を唱える主戦論が非常にさかんで、当時総大将であった来島又兵衛(きじままたべえ)のごときも最も強硬な者であったそうじゃ。ところが久坂はこれを非とし、だいぶ反対の意見を述べ立てたらしい。しかし「貴様どもは医者の子で、黄表紙などをくったことはあろうが、戦のことなどがわかるものか」と罵倒して寄せつけもしなかったそうじゃ。

久坂のほうでは「ただ無意義の戦するくらいは、盲しておってもできる」といって、開戦論者のなすままにまかした。

かくて言うだけ自分の信ずるところを述べて、用いられないと決まるとすでに平然たるもので、人を怨むというような風はみじんもなかったということじゃ。

富永有隣という人が長州軍の各将の陣中を見廻ったところが、いざ戦いというので、どこの隊でも非常に騒然たるありさまじゃったが、独り久坂の隊ばかりは闃として人の息さえ聞えぬくらい静まりかえっていた。

どうしたのかと不審に思って覗いてみると、大将の久坂は机に向って書見しているところであって、部下の者も大将がその通りじゃからいずれも落ち着ききって控えていたそうじゃ。それで富永が、

「久坂どの、どうですか」と問うてみると久坂が静かに口を開いて、

「無事有事の如きものは、なお有事無事の如し」と答えてまた静かに書見に向ったということじゃ。

鷹司殿にて屠腹するときになって、

「ああ吾れ死して余罪あり。恨むらくは死をもって来翁を諫めざりし事を」といって、人を怨みず、自らの熱誠のいまだ足らずして事を誤り人を誤らしたことを身の責任として、

前きに寝るあとの戸締り頼むぞよ

という辞世を残してあくまでも立派な最後を遂げたということじゃ。

木戸孝允

征韓論が破れて、西郷をはじめ江藤（新平）、板垣（退助）らが政府を去ったあとは、大久保（利通）がほとんど独壇場で井上とか伊藤、山縣（有朋）らの気に入りの俗物ばかりを集めて得意でいたが、木戸（孝允）はこれをはなはだ面白からず思い、

「大久保が、人物は地方に逃してしまって小人輩を相手に喜んでおる。こんなことでは維新の大業をなし遂ぐることはできない。自分の志もなし難い」というので官を辞することになった。

そこで伊藤らが、

「これはいかん。今でさえ地方に人材が去って中央の重みが欠けているところに、木戸を取り逃してはならない」というので、鳥尾小弥太が選ばれて木戸を引き留めに行くことになった。

鳥尾も元気な盛りではあるし、木戸のところに行って八方説き立てたがどうしても聞き入れない。しかしそれではどうしてもいけないから、

「ぜひ出てもらいたい。その代わり、あなたが出てやらるる事になれば、私の一命をなげ

うって労を取りましょう」とまで、つい勢いに乗じて言ってしまった。

　そこで木戸が、

「それならば出ることにしようが、いったい政府の仕事をするには、おれと大久保とおればば大丈夫じゃから、伊藤、井上らはみな引かしてしまえ」といった。

　鳥尾もよほどこれには困ったが、一命までもと言い出しておいて後に引きもされず、伊藤、井上、山縣らにそのことを告げると一同意外のことに非常に閉口して、そのことを岩倉（いわくら）（具視（ともみ））に持って行った。

　すると岩倉も木戸の説を賛成して、

「それは木戸と大久保とでやってくるれば結構なことじゃが、しかし自分ひとりの考えにも行かぬから」と大久保に相談することになった。

　大久保も大いに賛成というのでいよいよその運びにかかるというところで、かの十年の役が起こったということじゃ。

　木戸の考えでは自分が中央に立つことになれば、ゆくゆくは西郷、板垣らも呼び起こすという下心でいたが、この騒動のためについに折角の計画も意の如くならず、憂悶のうちにこの世を去ったということじゃ。

○

　これは板垣の直話（じきわ）じゃが、征韓論者の志が成らずして悶々の情でいる頃のこと、ある日、木戸が板垣を呼んでいろいろと慰めていたところに、ちょうど黒田(清隆)が木戸に逢いたいと言って来た。

木戸は「いま客があるから」といって断ると、黒田は「板垣との話なら自分が聞いて何が悪いことがあるか」といって、酒は飲んでいるし大きな勢いで座敷に上がって来たので、木戸も非常に怒って、

「こんな話をおまえどもが聞いては第一おまえのためになるまいから帰れ」といったが、なかなか帰りそうもない。

そこで木戸が、

「貴様が長州へたずねて来ていた頃は、軽輩の若者には面白いところがあると思って言葉もかけてやっておったが、いま天顔に咫尺する身となったといって何というざまじゃ。酒を酔いくさって馬鹿なまねをする。元よりもよほど悪くなった。ちっとばかり出世してそう悪くなるようでは、今後はどう悪くなるか思いやられる」といって非常な怒気を見せて座を立ちかけた。

するとき黒田もたまりかねたと見えて、いきなり木戸に飛びついていった。

ところが木戸が、なにというので反対に黒田を二、三度投げつけて、胸倉をとらえてぎゅっと締めつけたので、板垣、平常は黒田とははなだ面白からん仲であったが今に締め殺されそうになったのを側でじっと見ていることもならず、立ち上がって取りしずめたので

事なきを得たということじゃが、黒田もあれだけの豪気な男であったが、木戸はさすがに武を練っていたので心胆はもとよりだが、体力もよほど俊れていたようである。黒田も閉口したということじゃ。

勝と岩倉

明治十年の秋のことじゃ。西郷が鹿児島で兵を挙げたというので日本全国の物論が鼎沸した。

ことに政府の役人どもの驚き方といったら格別で、岩倉などはほとんど挙措に迷ってしまった。慌てて勝（海舟）のところへ駆け込んで行って、

「一大事ができあがった。どう処置したらよろしかろう」と問うた。

ところが勝は至って平静なもので、

「一大事とはいかな事でござるか」と反問した。で岩倉が、

「西郷がとうとう謀叛しました。じつに大変なことになった」といった。すると勝が、

「それが大事ですか。西郷が謀叛したら、陛下の御首でも頂戴しようとでもいうでしょうか」とまた反問した。で岩倉が、

「いやそんなことは決して申しませんが、政治のやり方を一新するといっておる」と答えると、

「それでは大事でも何でもないでしょう。あなた方の首でもお渡しになったらそれで済むことでしょう」といった。

これを聞いたので、岩倉も大いに赤面してそこそこにして立ち帰ったということじゃ。

岩倉という男は非常に狡智にたけた男であったということじゃ。誰も人が相手にせなかったのを、大久保が引き出してきて、自分ではとうてい西郷なぞには及ばぬから、岩倉の力をかりて西郷なぞを抑制させようとしたらしい。

西郷はまた大義名分を重んずる人物じゃから、岩倉は皇室にも近侍している家柄であるから、人物にはだいぶ見劣りがしても立てて行ったものと見える。

で勝海舟なぞの真剣に練りぬいた人物とは、どうも比較にならなかったらしい。鍋公卿（なべくげ）の中ではちょっとした男であったというに過ぎぬらしい。

美当一左衛門

親心というものは特別なものじゃ。むかし肥後の熊本の藩士に美当一左衛門（びとういちざえもん）というのがあった。

娘を嫁入らしたところが、婿があまりよろしくない奴で、だいぶ頭を悩ましたらしい。

いったん人にくれたものじゃからと思って諦めようと思うけれども、なかなか諦めきれぬ。

それで歌を詠んだ。

娘をば嫁入り地獄に嫁入さしたと思や済む　思やすめども思やすめども

なかなか逸話のある士で、当時徳川家康をば「権現さま」として日本全国に祀らせたものので、筑前なぞでも西公園のところに祀ってあった。熊本にも白川端に権現山というのがあって権現が祀ってあった。それを詠んだ歌が、

権現山、権現おりゃこそ権現山　権現おらねばただの松山

ちょうど島原の乱が突発したので、熊本藩からも征伐に行くことになって、将士の面々がいずれも大威張りで出かけた。ところが美当一人は衆人のなかを両手で眼を押えて、わんわん大声を挙げて泣きながら行った。

そしていざ戦いとなると一番槍の功名を立てて、抜群の働きをして戦死したということじゃや。

よほど変った、面白い人物であったと見える。

家康と秀吉

秀吉は非常な智者とされているが、智よりもその負けん気と、我慢の強かったことはさらに非常なものじゃ。

信長のごとく家柄というのではなく、家康のごとく家付きの郎党がおるでなし、独自一己の負けじ魂と、百折不撓の我慢力とでとうとうやり抜いたものじゃ。

まだ秀吉が若年のころの話じゃが、片田舎の何とかいう橋の上に寝ておった。ところへ先払いでもって大勢の供を引き連れて威張って通った大名があった。

癪にさわったものじゃから、あ奴は誰かと近所の者に聞いた。すると、あれは三河の徳川家康という仁と答えた。

そこで秀吉が「よし今に見ろ、おれが草履を摑ませてみせる」と独語して決心の色があったということじゃ。

それからというものは、日本一の気むつかしやの信長に仕えて、夜であろうが夜中であろうが、ほとんどまどろみもせずに忠実に仕えておる。冬は草履まで温めて外出を待っとか、不意にちょっとと思って信長が出だすといつのまにか秀吉が先まわりして供をする。だんだん取り立てられて金銭が自由になるようになってからは、できるだけこれを散財して人物を求め、天下の情勢を探るに努めておる。

上島主水とかいう槍術家と長短槍の仕合をして上島が敵の間者であることを見破るという如きは、ちゃんと人を使って前から探らしておいたものと見える。

こういう話はたくさんあるようじゃ。そんな具合でとうとう信長に代って天下の権をとった。

伏見の火事にあった折りに、秀吉が庭に降りようとしたが一人も側の者がいないで、家康のみ居合せた。だれも草履を揃える者がないから、家康は先に降りて草履をそろえた。このとき秀吉は初めて草履をとらせたわけで、家康は一向そんなことは気づかずにいたろうが、むかし三河の橋上での「いまに見ろ」と秀吉の負けん気で睨められた通りに草履を摑ませられたということじゃ。

◯

しかし家康もなかなかの奴で、そのいったことに、

事のいまだ成らざる、忍耐にあり。

事のまさに成らんとする、大胆不敵にあり。

事のすでに成る、用心周到にあり。


というのがある。

大の癇癪持ちであったが、事の成るまではじっと忍耐しておる。しかしここと思う時機を見ると猛烈なる勢いで踏み込んで行き、いよいよ事が成ったという覚悟をいったのじゃ

が、じっに面白い。

今川が盛んなときには今川に服し、織田が優勢なときにはまたあえてさからわず、よく忍んでおり、織田信雄を助けて秀吉を向うにまわしての義戦はじっに大胆不敵で、関ヶ原の戦いのときには十二分に味方が勝って敵は散々に敗北してようやく兜を着けたというじやから、いちいち考えたようにやっておるが、人間の味は秀吉のほうがあるようじゃ。

◯

年をとってまで稚気の抜けぬところなんぞは確かに面白い。詠んだ歌に、

田子の浦に釣りする竿に跳ねられて　富士の高嶺に鯨なくなり

というのがある。日本の鯨を釣った奴は秀吉一人ぐらいのものじゃろう。

薪売り

玄洋社の若者じゅうで、福岡の田舎の平尾村に山林を払い下げて、薪を伐って働いておったことがある。伐るだけではいかん、福岡の市に売りに行こうということにきめた。

一人非常に剽軽な奴がおって、なかなかよくしゃべる。それから俺が、貴様といっしょに荷をかついで売りに行こうというので、六尺の尖り棒に薪を二輪突っかけて福岡にやっ

て行った。

ところが黙って歩いてもなかなか買い手がない。何とかいってふれてまわる必要がある。

「おい貴様、何とかふれぬか」といったが、日頃はしゃべる奴じゃが、この時ばかりはいっこう声も出し得ないで顔を赤くしておる。

それから俺が、

「貴様、荷をかついでついて来い」というて、そ奴にかつがせておいて、

「薪はいらぬか！　薪はいらぬか薪！　よく燃ゆる薪」といって、俺がおらんで、（高声に呼んで）あるいた。とうとう触れまわっているうちに買い手があった。

何でも二十四銭かに売れたのでその金で牛肉一斤買って、内に待っている皆の者と食おうというので土産にした。一斤の値段はたしかに八銭じゃったと覚えている。

箒売り

俺の兄が箒をたくさん作った。しかし非常に正直で、俺とは大変性質も違っておって、とてもこれを売りに出るというようなことはできないほうであった。

それからこれも俺が売ってきてやろうというので、大きく結いて草鞋履きで福岡にかつぎ出した。

「箒屋さん、その箒売るか」という者がある。

「うん売る。しかし全部買うか」と問い返してやると、

「全部買っても仕方がない。一本二本では売れないか」と聞く。

「それは一本二本は面倒ください。しかし、買った後をきれいに元の通りに結いてくれるなら一、二本でも売ってやろう」といった。

すると、そんなら後は結いてあげますから売ってくださいといって買っておいて、あとは元通り結いてくれた。

そんな具合でみな売ってしまったことがある。まだやったことがあるがなかなか面白いものじゃ。

今でも、も少し若いと牛乳屋でもなんでもやってみるが、人間は平素は何をやっておろうと、どんな処にいようと構ったものでない。ここだと思うところにうんと力瘤を入れて大奮発すれば、天にも上れる、神にも仏にも思う通りになれるものじゃ。

乃木（希典）などもとうとう神になった。世の中は濁っておるといっても、真の心の光には動かされるものじゃ。盗人商売でも、まさか相手が盗人と知っては、可愛い娘を嫁にやることはせないというじゃないか。自分はつまらぬでも、立派な他人の行には感ずるものじゃ。

うんと屈んでおいて、飛ぶときと思ったら思い切ってうんと飛べ。まごまごしておると銅像が樹つぞ。

日本青年の使命

アジアは大きな蛇のために臍のところまで呑まれておる。インドという両足はもちろんとっくの昔に呑まれ、支那という腹も大部分呑まれておる。日本が腹から上の頭ぐらいのもので、これだけが呑まれずに残っておる。

ちょうど赤児が布団に包まれているようなもので、この布団を蹴りのけて起ち上がるにはよほどの奮発がいる、努力がいる。

日本がインドの両足を自由に仕得て起ち上がるにはよほどの大覚悟がいる。

英国などが富国であるの強国であるのというておるが、それはことごとくインド無限の富のおかげであり、インド数億の人民の働きの力である。英国からインドを取り去ったら結果や知るべきじゃ。

インドに限らず、植民地属領は林檎のごときもので、熟すれば実が木から落つるように、発達して自衛力がつけば必ず独立して本国から落ち離れるものであるというて心配している者があるが、いったい彼らのごときやり方では落ちないほうが不思議で、落ちて自立するのが当然じゃ。

無理はいかぬ。無理が永続した例がない。あ奴らの手段は無理を通り越して非道であった。

インドは金銀が豊富である、米綿が無尽蔵にとれる、珍奇な香類が多いというので、この利を得んがためにはほとんど手段を選ばなかったのである。彼らの心事は口でいう如き人道のためでも正義の心からでもないのじゃから、必ずや反動は来るべきじゃ。

しかして身体は呑まれておっていかんともしようがないから、自由のきく日本の手や頭で束縛を欠いてやり、立派に歩行ができるように、義気を出して、うんと一骨折ってやらねばならぬ。なかなか日本の仕事は多いのじゃ。若い者は愉快な仕事があるわけじゃ。

○

よく世間で「心ほどの世を経る」ということをいう。人間には、真一文字にやってさえ行けば、人物相応に衣食は付いてくるものじゃという意味らしい。いかに無理してもがいても、その人物の天分以上には容易になり得ぬものと見える。

ずいぶん世間を見ておるといろいろやっている者がおるようだが、やはりその者相応にしか行っていないようじゃ。

そうかと思うと案外、衣食はもとより功名富貴には意を用いぬ者でもかなりに行っておるのもあるようだ。つまりこれらが古人のいわゆる「禄(ろく)その中(うち)にあり」というのじゃろう。

俺の十五、六のときに三人友達がいた。一人に向って、

「貴様が一生の望みは何になるつもりか」と聞いたら、

「私は三百円も貯えたい」と答えた。いま一人に同様に尋ねたら、

「私は二十五円ぐらいの月給取りになりたい」といった。

あとの一人は妙道という坊主じゃったが、こ奴はただ黙ってにやにや笑っておった。

ところが前の二人はとうとう若くして死んでしまって、三百円も貯めねば二十五円の月給取りにもなれなかった。妙道という坊主は、筑前の糸島郡の雷村の和尚になって今でも生きておるようじゃ。


俺などは、三百円貯めようとも二十五円取りになろうとも、衣食のことなどは少しも思いつかなかった。男の死にようは、釜煎なんぞはしごく面白かろうくらいのものじゃった。

支那などの書物を見ると、よく釜で煮らるる話がある。すこし時の権力者、暴君などに逆らったり諫言したりすると煮らるる。文天祥などの歌にも「鼎鑊甘きこと飴の如し」というのがある、そいつじゃ。釜煎はしごく面白かろうと思っていた。

○

日本では釜煎というと石川五右衛門ひとりのように思って、非常に悪党のようにいうが、石川五右衛門とても決して悪人ではない。立派な浪人じゃ。木村重成の父、重茲などとはごく仲のよい間柄じゃ。当時飛ぶ鳥おとす勢いの太閤の首をとりに、「うむ俺がちょっと行って提げて来る」といって伏見城の堅塁に忍び入るのじゃから、なかなかの男じゃ。

捕えられて、実をいうと迷惑を人にかけるから、盗人の悪名をみずから着て、従容として死に就いたのじゃ。器量は太閤にあまり劣る男ではなかったらしい。つまり武運の拙いまでのことで、心事はなかなか見上げた奴じゃ。

人間は塵埃のようなものじゃ。椽の下に吹き込まるる塵埃もあれば、屋根の上に吹き上げらるるものもあるようなものじゃ。

太閤などは床の間に吹き付けられた塵埃、石川は泥川に吹き落された塵埃、伊藤博文なぞは屋根の上に吹き晒された塵埃じゃね。

あまりつまらぬ名誉とか衣食とかに眩惑されぬように、これが男の道と思うことに命がけでやり抜いたら、備わった禄なら得られもしょう。得失を考えて事を決することは、賢か愚かわからぬようじゃ。

◯

たいてい二つか三つかで止めるものじゃが、大民（雑誌）はだいぶ続けて来たが、俺も二十年あまり以前に新聞をやったことがある。福陵新報というのじゃった。いまは杉山（茂丸）、大原（義剛）らがやっておる九州日報じゃ。

その時のことで、金が二万もあれば新聞がやれるというから、そのくらいの金なら作ろうということで思い立った。

ある奴が「あの連中で新聞ができたら太陽が西から出る」というたで、「よしそれでは太陽を西から出して見しょう」ということでやり始めた。

福岡の重立った者にはみな「賛成せられよ」といって賛成さした。そして「賛成するなら寄附金出せ」といって大抵こっちから割り当てた。

小野良介などは郡長しておったから「五十円出せ」といったら、「月給ぜんぶ出しても五十円しかないから、十円にしてくれ」というから、「貴様が十円出すようでは以下の者はほとんど出さぬじゃないか。月給取っとるものは月給ぐらいは出さじゃ(ー)。第一賛成するからには新聞が出せねばならぬじゃないか。新聞が出せるためには五十円の月給ぐらいはぜんぶ出さじゃ(ー)。新聞を出さぬくらいなら十円はおろか、一銭一厘でも出しては愚でないか。また俺(おん)どもも新聞出さぬくらいならこっちからくれてやりはするとも、貴様たちから貰うものか」といったら、「なおよく相談してみます」といってとうとう五十円出した。

他の者もそれぞれ加勢する。反対党までも寄附金した。黒田家にも二千円申し込んだ。その使いには俺が出て来た。家老に会ってわけを話して出してもらった。

あとで家老が人に向って、

「あの人たちは寄附金を貰いにござったとじゃろうか、貰ってやりにござったとじゃろうか。どうも貰ってやりに見えたようじゃ」と言ったとかいうことじゃった。

そういうふうで二万の金は集まった。新聞は出た。主筆なども日本一の文豪じゃなくては傭わぬというので、月給なども百円以下のは置かぬと決めておった。しかしその月給はなかなか渡らなかったようじゃ。

その後もなかなか骨が折れたらしいが、俺は造ることはしたが、あとはいっこう無頓着のほうで、しかしとにかく太陽を西から出した次第じゃ。

その頃は物も安かったが、今はなかなかそんなことでは行くまい。ことにあまり名も知れぬ奴の銅像はいくらも樹つが、勝海舟なぞの銅像はだれも樹て手がないように、俗世に媚びる雑誌だと売れ行きも多かろうが、貴様たちのように生一本で行くにはちょっと骨じゃろう。

しかしそれでやり抜けばこれに越したことはない。俗に負けてはならぬ。開祖の坊主の気でしっかりやり抜け。雑誌ぐらいは大志の一端にすぎない小事ではあろうが、やりかけた事にはそれだけの結末をつけるということは、大小に論なく大事なことじゃ。

狂志士藤森天山

藤田東湖（ふじたとうこ）なぞと同時代の勤王の志士に、藤森天山（ふじもりてんざん）というのがある。なかなか志の厚い立派な士であった。

ところが当時の人間は天山の心が判らぬから気違い扱いをした。

「いかにも言うこと、することが変だ。たしかに気がふれている」というようにして知人縁者までが遠ざけた。

天山は、ちゃんと自ら信ずるところがあり見るところがあるから、左様なことにはいっこう驚かぬ。かえってそういう軽薄きわまる世俗の輩を、気の毒な奴とも狂人ではないかとも思っておった。でその詩を詠んで、

世人吾を呼んで狂と言う　今の時は果して何の時ぞ
吾は人の狂わざるを怪しむ　噫これ当に狂と言う

と言っておる。
世間の者というものは、自分が谷底に落ちておることは気づかずに、人が普通の道を行っているのを見て、いかにも山の上でも歩いているように思うものだ。みずからの無識、みずからの無気力は棚に上げて、先覚者なり気骨ある士を見ると、すぐと狂人とか愚人とか勝手放題の噂を立っるものだ。いつの時代でもそのようだ。先だって、俺の家ができたお祝いにというので、ある人が持ってきてくれた書の軸物があった。ちょうどそれが天山が自身で書いたのであったが、なかなか面白かった。

挙世孤寒を忌む　薄俗吾と与せず
青山独り語るべし

とかいったと覚えているが、清流に魚棲まずで、潔士はえて孤寒なものじゃが、すると世間の者は相手にならぬ、人情軽薄な世俗はたいてい吾と与せぬものじゃ。しかし貴賤貧富の別なく、つねに豁懐をもって接してくれる青山ばかりは語るに足るというのじゃろう。それも若い時分から世間に突き出されて荒波に揉んで揉みぬかれておれば、一人前になって仕事をやり抜くときに、世人の毀誉を度外において、まあそんなものじゃぐらいでやってのけられる。

しかし若い時をうかうか暮しておると、大事な志を行う時代になって事志とそわぬ目にあうと、すぐへこたれて、世俗に降伏するに至る。

志を大いにのべねばならぬ将来の日本の若豪傑は十分考えねばならぬことではないか。

西行と梶原

西行が、立派な北面の武士の職をなげうって、破れ笠に破れ草鞋で行脚をはじめた。

この変った姿を見た梶原（景季）が、非常に気の毒に思ったとみえて、

「いかがです、一つ頼朝公に仕えませんか。私のような者でもこのくらい重用してくれるお方じゃから、あなたの品量でしたら、思う通りに取り立てられて立身ができますよ」といった。

ところが西行のこれに答えた歌が面白い。

　世を捨てて世にある人をながむれば　おかしかりけりおかしかるらむ

貴様たちから見たら、さぞや俺が気の毒にも見えよう、しかしおれの眼からは、貴様たちが一粒二粒の飯に釣られて首に輪を入れられておるのがいかにも不憫に思われる、という意味らしい。

　それでも梶原が強(た)っての頼みでもあり、頼朝もぜひといって招くものだから、鎌倉の頼朝の御殿に行った。

　ところが非常なもてなしで、その帰るときには頼朝みずから銀の猫を取って西行に贈った。頼朝の考えでは、自分が大切にしている置き物であるから、たいそうな贈り物をした気であったらしい。

　ところが西行は少しもそんな物には眼はくれておらぬ。かえって迷惑に感じたとみえて、頼朝の邸を出るや否や、前に遊んでいた子守(こもり)女にいかにも無造作にくれてやってしまった。

　西行の眼中には、区々たる頼朝ごときは無かったのじゃ。いわんや梶原をや、銀の猫をやじゃ。求むる慾心があれば粟粒一つも心を迷わす力もあるが、命までもすでに無きものと覚悟した者にとっては、天下の権も世界の富も物の数かはというのじゃろう。

かきよせて結べば草の庵にて　解くればもとの野草なりけり

というのがあるが、俺は、

かきよせて結べば草の庵にて　解かねどもとの野草なりけり

じゃと思う。人間は思いよう一つじゃや。

◯

ある人が俺に句を寄せて、

むら雲のかからぬ間（ひま）の月見かな

といって来たから、

むら雲のかかる隙（ひま）なき月見かな

と返してやったことがある。

若いと思って油断はならぬ。一日を一生の気で、うんとやってのけんと。墓場にはいって寝飽いても起き出ることが滅多にできぬと覚悟せぬと、褌がゆるんで来る。

闘鶏と日本の外交

俺が十三、四のころ、友人の父で非常に闘鶏を愛して養育している人があった。あるとき一つの母鶏が三羽の雛をもった。一番大きい奴は黒毛で九百五十匁からあり、二番目の雛は赤毛で八百目からあった。ところがあとの一羽はそれらからかけ離れて目方も少なくわずか五百目しかなかった。それでとうてい大きい二羽の雛には勝てず、姿見ただけで逃げまわっておった。

ちょうど俺が遊びに行ったところが、その友人の父が「一番小さい雛をくれよう」というので俺は貰って帰って来た。

それからどうかしてそれを強くなす工夫はないかと考えて、養鶏専門の者のもとに行っていろいろと話を聞いて来た。そして南天の葉を煮立ててその汁で羽を洗ってやったり、腰の強くなるように腰のあたりを押してやったりして、まる百日の間というものは、昼は擂餌を作って食わせたり、夜も遅くまで起きていて夜飼いをするやら、一日も怠らずにやった。

ところが恐ろしいもので大変元気がついて、後には人間にでも飛びかかるようになった。そこで俺がもうこれなら大丈夫、大きかった二羽の雛と闘わせても充分勝つに違いないと思った。

そこでさっそく友人の父のもとに行って、

「一つ私のもらった雛と、あなたのと闘わせてみましょうか」といったら、

「とてもそれはだめ。敵うものでない」と言い放った。しかし、

「まあ持って来てやらしてみましょう」といって一番大きいのと蹴り合わせてみた。

ところが、出会うや否や疾風のような勢いで俺の雛がひと蹴りした。すると大きい雛が二度と向おうとはせずに、気狂いのようになって逃げてしまった。

友人の父もたいそう不思議に思って今度は二番の赤毛のと闘わせた。この雛はなかなかずるい奴で、しばらくやりあっておったがとうとう上嘴を蹴折られてしまった。

鶏は上嘴がしっかりと上から被っておるから嚙む力が出るのだそうじゃで、これを折られてはいかんともすることができず、そのままもう屈服してしまった。

友人の父は急に俺にくれた鶏が欲しくなったらしかったが、まさか一旦やったものを取り戻すこともできず落胆しておった。俺は子供心に、何だかロシアなり英国なり強国をいっしょに向うにまわして叩き倒したような気がした。

今日まで、日本の政府の要路に立って外交などやる連中は蹴合いもせずに欧米を恐れて、

ゆえもなく逃げ腰になり実に困ったものじゃね。鶏のように向うの奴の面に紙でもかぶらせておいて、これを蹴らせて勝つ癖をつけさせぬといかん。

なに一度立ってやるとなるとひとたまりもないんだが、馬鹿に恐れ過ぎるのは見苦しい。老朽用に堪えないのは論外にして、機を見て勝つという自信を持たすることの必要がある。鶏ですら養いにあるから日本人にできぬこともなかろう。

嘘の喰い廻し

ある海軍の中尉という男が来て、

「わたしは追浜の海軍飛行をやっていた者で飛行機乗りは非常に上手です。こんど海軍を辞して民間でやりたいですから有志の方にご紹介ねがいます」といって来た。

それから板垣や大隈（重信）やその他の知人に紹介してやった。ところがだいぶ有志が世話をしてくれて、いよいよ飛行をやらしてみると一向に飛行のことを知らない。

不思議に思ってそれらの者が調べたところが、じつは全くの偽で飛行機などは少しも知らない。また海軍軍人でもなかったことが知れた。

ある者は「君子も道をもってすれば欺かる」といっており、ある者は憤慨しておったりして俺のところにも苦情が来たから、

「じつは俺が嘘の初喰いをして喰い廻しをやったわけで、ご相伴したのは気の毒じゃが、

しかし今後もこりずに度々やれ」といってやった。

板垣らも迷惑したらしい。大隈は自分も嘘を平気でいう奴じゃから何ともいって来なかった。

大隈と西郷従道

早稲田大学が何か騒いでおるというが、大隈では治まらぬか。

大隈は気の減らぬ男じゃが、若いときから同輩間では不人気な退けられ者じゃったそうじゃ。板垣の友人で池月某という土佐の男が、

「大隈、貴様はじつに下劣きわまる奴じゃ。俺の褌でもかぶっておれ」といって、己れの褌を外して大隈の頭に鉢巻さしたこともあるというくらいじゃ。

それが西郷が死に、木戸、大久保がなくなってからに、盛んに自分のことを傑そうに吹聴する。維新以来の勲業という勲業がことごとく己れ独りでやったようにいい立てる。

ある日、西郷従道がおるところで、例の調子で自分ひとりで天下の仕事をやったようなことをいうから、西郷が傍から、

「いかにも貴方さまはお豪うございます。いつの事も幾日の事も、あれもこれも、みな貴方さまのお力ででき上がりました。実にいかにも貴方さまはお豪うございます」といって、木戸のした事も大久保のやった事もことごとく大隈のしたようにいい立てた。

ところが大隈もさすがにこれは恥ずかしくなったと見えて、「いえそれは私ではありません。その事は木戸のしたので、この事は大久保のしたのでした」と実際のところを打ち明けた。西郷は「そうでしたか。私はまた貴方さまがお豪いから、みな貴方さまのお手柄かと思っておりました。ほうそうでしたか。それは思い違いをして済まんことをしました」といったということじゃ。

大隈も悧巧者じゃが、どうも井上馨などと同格の劣等な人柄じゃから、長州でなかったから早稲田大学でも起こしたじゃ。あれの民主論も、自分が大名ぐらし大名気どりであって口先だけが平民平民では、結果は知るべしじゃ。

山縣有朋……一画ほしい

山縣(やまがた)は「楷書」の画の足らぬような男じゃ。一体はなかなかの者じゃろう。細心で用心深く、何事によらずよく考うる質(たち)の男じゃろう。

考うるときには夜も寝ずに考うるという風じゃろう。同じ長州でも伊藤や井上などよりはしっかりしておるようじゃ。思慮にも富み、勇気も多少あろう。

いまの豪傑どものように口先だけで天下をとろうというのとは、少し違っておるようじゃ。しかし、どうも楷書の画の足らぬような感じがする。

あれに乃木のよいところを加えたら、それこそなかなかのもので、風を起こすに足ろう。いかにも惜しいものじゃ。まだ遅くない、今からでも翻然悟ってやったら確かに日本の柱石たることができよう。

内務省の役人から不名誉の輩を出したり、士風を因循姑息に陥れたりしておることも、山縣が心の置き方しだいでは一掃することができよう。

人情も解し、人の面倒もよく見るようじゃ。しかしてそれが私心がある如く解せらるるということは、せっかくの男に惜しいことじゃ。

児玉（源太郎）は非常に正直な男じゃったが、ある時こんな事を言ったことがあった。

「日本には元老という妖なものがありまして、私などの考えとは少し違いまして……」

桂もなにか「私のこの頭はいくらでも下げますし、しかし心の頭は下げるわけに行きません」とかいっていた。

児玉たちもだいぶ弱らされていたようじゃ。桂は、ちょっと山縣のいうことをきかなかったことがあるようじゃ。

しかしなかなか元気な男である。若い桂や児玉やはとっくに死んだのに、老耄せないようじゃ。やはり、責任を重大に考えておるからじゃろう。

大隈と高田

早稲田の問題はまだ片付かぬか。

大隈の仕事の中では学校が一番じゃろうに、何とかしっかりやっていく方法はつかぬか。高田（早苗）がでも、善い事も悪い事も一緒にひっ背負って立つということでは納まらぬか。高田ではできぬというのか。

長い間やって来たのじゃから、今になって他人の事のように冷然たる態度もいかがなるものかねー。

何といっても早稲田は日本では類の少ない学校じゃから、立てて行かねばなるまい。まあ旧い幹部とかが責を引いて辞したというから、内輪で立派に片が付くかと思っておったが、そうは行かぬか。

渋沢（栄一）とか中野武営とかいう金持ちが出て口をきくということで綺麗に行くか。商業会議所のこととか株式取扱所のことなら実に適任じゃろうが、教育の府のことは、天地を貫く大精神が見識となってほとばしる者でないと。年齢とか社会上の地位とかでは徹底した解決は見られなくないか。俺どもはそうしか思えぬが、しかし当節は流儀が変っておるかも知れぬ。

いかなる事でもじゃが、ことにこういう事柄は、誠意の火で腐った箇所を燃す考えが第一じゃろう。

老人にばかり人を求めずに、無私で人材を揚げたら、教師なり学校出のうちにも人のないことはあるまい。

高田はじめ注意すべきことは喧嘩の勝敗ではなく、せっかくの大隈をくわせ者という悪名のもとに葬ると同時に、国家百年のためにする教学の精神を私（わたくし）したという悪名を永く早稲田の歴史に残す事となることじゃないか。全くするも砕くるも玉でなくてはならぬではないか。

支那の出兵

支那が連合軍に加担して欧州に出兵するということか。とても戦争には加われない。軍夫にすぎぬじゃろう。外国から金を出して傭うて行くのじゃろう。政府もそれを賛成してやらせるというのじゃから、日本とはだいぶ寸法が違う。それが出兵というのじゃからすごいね。

支那の兵は、日本のとは全然違っておって、盗人（ぬすっと）と兵隊を兼業にやっておって、真面目な人民どもはたいそう恐れているというのじゃから。兵士が多く死んでくれればそれだけ国がよく治まるというて、敗け戦（いくさ）を悦ぶのは支那ばかりというじゃないか。

欧州の戦争はなかなかやめぬ。もうこのくらいドイツがやれば、英国もだいぶ弱るね。アジアの事にでも、昔のようにむやみなことは英国もやれぬ。兵備を整えて日本が一人じっとして見ておるから。

日本の兵は欧州には出せぬね。アジアにでも乱が及べば知らぬこと、支那とは同一には行くまい。

俺の子供の時分

俺の子供の時分は、いかん奴じゃった。親の言うことも聞かねば、兄なぞをいじめつけるような始末で、ほとんど我儘(わがまま)の仕放題じゃった。

大抵な嫌われ者じゃった。しかし親父だけはたいへん俺を可愛がって、言うてもとても聞かぬから、やるようにさしておけといって放っておった。

まだ士族とかいって威張っておる時代で、西瓜(すいか)の切り売りなどを買って食うのは乞食かなどのようにいうておった。それを俺がぜひ食うという。許さなければ黙って摑(つか)んで食うという風じゃから仕方なしに買い食いを許した。

菓子でも、菓子屋の前に立って食いたいと思うと、だれが何といっても摑んで食った。うちでも手の付けようがないから、通帳をやってね、俺が食っただけ付けておいてくれといって菓子屋にやってあった。

嫌な事ときたら見向きもしなかった。しかし学問は兄なぞにも「やらにゃいかん」ぐらいにいって俺が勧めたくらいで、自分の気に入った学問はかなりよく覚えた。

七つのときに、親父や兄なぞと一緒に水戸列伝の講談を聞きに行った。水戸の浪士が桜田門外で井伊大老を討つ講談で、非常に面白かった。家に帰ってちょうど聞いた通り一字一句も違わさずやったところが、親父なども驚いておった。

好きな書物はよく読んだ。記憶力は良かったようじゃ。十二、三ぐらいまではほとんどわがまま一点張りで、人の物はわが物、わが物はわが物といった風じゃった。

十四のときに、論語を読みよったら、「子曰く、道に志して悪衣悪食を恥ずる者はいまだともに議するに足らず」とかいうことが書いてあった。これはひどく頭に響いた。

それから我儘をがらりやめた。自分の物も人にくれようと決めた。悪衣悪食宗に宗旨代えした。それまではうまい物でも家内じゅうのを一人で取り上げて食うという風じゃったが、一切反対にやることにした。

雪の降って積ってる中に、頬杖どもついて雪の中に寝転んで、他所で琴を弾いているのなど聞いておったこともあった。
十五、六まで、瀧田（紫城）という学者の塾に通った。そのときの年長者仲間に栗野（慎一郎）、平賀（義美博士）などもいた。栗野は俺よりは四つぐらい年長で、二十ぐらいじゃったろう。なかなか学問がよくできておった。
俺はしかし塾じゅうで皆から憎まれ者じゃった。棒にも箸にもかからぬようにいわれていた。それで俺も、どうせ悪くいうなら、うんと悪くいわせてやろうと思って、できるだけ憎まるる事をやった。

俺がいちばん年少ではあるし、したい放題をやった。手水鉢に小便をたれ込んでおいて、それでもって手を洗わせて、あとからあれは小便じゃったといったり、門の上に登っておって、下通る奴に頂から小便引っかけたりした。

塾じゅうの者が団結して、俺を畳伏せにやろうということをきめた。

いよいよ今夜やるという晩になったから、どうせやられるには違わぬ、しかしやられても構わぬから、あっというほど皆の度肝を抜いてやろうと思って、五寸ぐらいのよく切れる短刀を、すこし鯉口を切って側に置いて寝たふりをしていた。

しかしその晩は畳伏せに来なかった。来ておったらやられておったかも知れぬ。じつは寝たふりのつもりが本寝入りしておったようじゃ。

とうとう一度もやられずに済んだ。

○

その次には亀井の塾に行った。亀井は紀十郎というて四十ぐらいの人であった。俺が十七ぐらいじゃったが、亀井とは俺が十四ぐらいから碁の友達じゃった。じつは初めは碁も亀井に教わったが、しばらくしているうちに同じぐらいになり、後には俺のほうが強くなった。年は親と子ほど違っておったが、亀井はよく俺の家に碁打ちに遊びに見えた。

ところが亀井先生、財政の都合上、役人になることになった。ちょうどその時の熊本の県令安岡(良亮)というのが亀井の門弟じゃった関係から、熊本県庁の役人になって熊本に行くことになった。

　ある日熊本から亀井先生、俺の家に来て、俺に、「役人にならぬか。じつは県令の安岡とも話を決めてきた。何をすると仕事は決めておらぬが県令も非常に賛成で、亀井も碁打ちゃら何やら友達ができてたいへん好都合じゃから」というのじゃった。

　その頃が士族をやめて何か働かねばならぬという帰農帰商などをやかましくいう時分じゃったから、親たちもしごく賛成じゃったので、俺さえその気ならすぐにでも連れて行きたがっていた。

　しかし俺は役人をするために学問しているわけではなし、学問のお相手ならするけれども、役人の相手はことわった。

　ところがその年、神風連が起こって、鎮台と県令を夜襲して種田（政明）少将と安岡県令とを伐った。俺が役人になっておれば、当分安岡県令のうちに遊んでいることになっていたそうじゃから、俺の首もやられていたに違いない。もちっとのことで首をいくところじゃった。

　その頃からずっと学問をしておったら、博士ぐらいになっておったかも知れん。記憶はよかったから、その当時は先生の読んだところを暗記さえしておればいいので、わけはなかった。先生の声色までそっくり覚えていたからね。やらすればなかなかよかとこやりおった。しかしこれもやらず、役人にも縁はあったがならなかった。

礼儀よりは罪悪

ひどい風じゃった。だいぶ家が倒れた模様じゃね。倒れた家には古かったり、粗末な建て方のもあったろうが、請負人が瞞着して手を抜いたりしているために、大丈夫のつもりでいて、安心しておって、不意を打たれて、家が倒れるばかりでなく命までもなくした者があるというじゃないか。

建物の請負するものは、よほど厳重に取り締まらぬと大変な結果になる。よく学校の講堂とか役所の会議室とかが墜落して死人や怪我人ができることがあるくらいじゃから、今度のような大暴風雨のときなぞは、橋が流れたり、家が潰れたりするのは当然のことじゃ。

しかしこれは甚だしい罪悪じゃ。よその門の前に小便するくらいは罰せぬでも、こういう者こそ手きびしく罰するようにせぬといかん。門の前の小便ぐらいは礼儀を知らぬことじゃが、好くないにしても人の命にかかわらぬ。しかし悪い請負人は人を殺すわけじゃから大罪悪じゃ。

立派な建物はできたが、でき上がって引き渡しが済むと、すぐ二、三日も経たぬのに柱が曲ったり、床は左に傾く、屋根は右へそれる。外観だけは阿房宮のようにできたが、とても危険で内に人が一刻も住まぇぬというう大建物もどこかあるというじゃないか、東京に。

路（みち）なども、凱旋道路とかいう御所の前のも、高いところと谷のように低いところとができたとかいうて騒いだようじゃなかったか。

中には、これを監督する役人が請負人と共同して悪い事をするという噂があるようじゃが、じっに不届きな話じゃ。俺（おん）どもは石炭山ぐらいはかじるが、路を食ったり公（おおやけ）の建物をつついたりする心は持たぬが、役人のなにかにはずいぶん強（きつ）いのがおるね。

普通の家でも、労働者などは、なかなか選り嫌いができぬからどんなのにもはいる。今度のような事があると一番に困る。死なぬまでも寝るところは潰（つい）える、衣類は流るる、気の毒なものじゃ。家でも貸すものはよほど責任を感ぜねばならん。小さいことぐらいはどうでもいいから、大事な人の命にでもかかる事は厳重に罰することにせねばいかん。

一体いまの法律などはどんなつもりで出来とるのか。善い人間よりは、破（や）れ家や人殺しの悪請負人のほうを大事にするようなことはないか。

山

上州の磯部温泉に行ってきた。まだあすこは変な手合があまり行かぬから、悪ずれせず、ごく静かで、養生には至極よかった。だいぶ身体の具合もよいようじゃ。

旅行は一体よいような気がするね。飯などもよけいに食える。妙義山（みょうぎさん）にも登ってみた。なかなか景色のいい山じゃ。ところどころ金の鎖をとらえて上（のぼ）ったり、またこれに下がって降りたりする処がある。東京辺からもわざわざ登山に出かける者が大変あるようじゃね、秋は紅葉が見事じゃから。

俺は若い時分から山登りはよくやった。霧島山(きりしまやま)になんぞ、石を担いで登ったことがある。久田全(ひさだぜん)という人と二人で、麓(ふもと)から石を担いで登ることにしょうというので、久田が俺のよりは小さい石を担いでおったが途中で捨てたようじゃ。

俺だけは頂上まで担ぎ上げた。俺の足は細いから、軽くて山登りなぞには向いているらしい。人ほど骨が折れぬようじゃ。足軽で足が軽かったんだねー。

足軽

足軽というと、その頃の元気な友人は、みな足軽じゃったようじゃ。箱田六輔(はこだろくすけ)、平岡浩太郎、進藤喜平太なぞはいずれもそうじゃが、平野国臣なども足軽じゃねー。

俺の家か、いまの頭山(とうやま)の家は十八石じゃった。まあ士分の中じゃった。俺の生家の筒井(つつい)というのは百石じゃった。俺の母が頭山家から来ておって、頭山の家が死に絶えたものだから、俺が養子にやられたわけじゃ。

その頃は帰農帰商のさかんに唱えられた時分で、士族も何かやらぬと食って行けぬ。竹細工でも畳のへりはりでも、やらぬといかん時じゃった。

頭山の隠居というのが非常にそういう細工ごとの上手な人で、よく俺の生家にも教えに来た。兄なぞは習ったが、俺は一向できなかった。

どうも器用なことが一体できぬたちで、芋売りぐらいはやれるかも知れぬ、一つ芋売りにでも出かけてみようと思ったけれども、うちの者がとめるからとうとうやめた。

しかしとても俺は飯食うような働きがない。商人にはなれず、役人にはなれず、小使にも使ってくれ手はなし。これは一つ飯食うことをやめにして仙人にでもなろうときめて平尾山にはいった。十八ぐらいじゃったと思う。面倒くさければ食わぬ。至極のんきじゃった。

〇

ある時、ごく仲のよい友人の多久甚太郎という医者が尋ねて来た。せっかく来てくれたから何か御馳走をしょうと思った。しかし何も見当たらぬ。裏の畑から豆をサヤなりにかがって来て、これを鍋に入れて煮ることにした。

ところが味噌もなければ醤油もない。梅干の食いさしと、ごま塩の残りがあった。これを水で流し込んで味をつけた。

「まあ折角じゃから、これでも食って行ってくれ」といったら、多久が、

「いくら何でもこれは私には食べられません」といって食わなかった。

ちょっと他人には俺の付き合いはやれなかった。貴様どもならついて来たろうがねー。

この山というのは、じつは俺の家の山で、そこには小さい山番小屋があった。それに俺

がはいったのじゃった。とても始末におえなかったものじゃ。

その俺が頭山の養子になったというものだから、「あれでも養子か」といってみな笑っておった。

高場塾

ところが少し眼を病んだ。それから人参畑の高場乱子のもとに行った。高場というのは眼医者じゃったから。

するとこの高場の塾には大勢乱暴な若者が集っておった。俺も仲間に入ろうと思って高場に話したら、

「やめたがいい。人を叩き倒して監獄に行くぐらいは何とも思っていない者ばかりじゃから、とても無難には行けん。袋叩きにくらいすぐ逢わされる」といってとめた。しかしそれは面白いと思って、俺も仲間に入れてくれといって、やって行った。

ちょうど大勢集って何か煮ておるところであったから、俺は黙って一番に箸をとって食いはじめた。変な面をしてみな俺を見ておった。そこへ高場が心配して見えた。ところが俺がやたらに叩かれもせずに食っとるものじゃから、

「あなたはどうした結構なことじゃろうかい、御馳走になって」といって安心して帰って行った。

そのときの連中どもは、十八史略ぐらいを高場先生に教わっていた。俺が行ったものじゃから、イジメてやろうと思って「左伝」の輪講をやろうといい出した。俺は腹の内で、こ奴らに「左伝」がやれるかと笑っていた。そして一番に俺にさしつけたから読んでみせたら、張り合いが失せてやめた。

しかしどうかして腹を立てさしてやろうと思って、一番元気な奴が先生に質問に行っているあとに、そ奴の机のところに坐って机の中から隅まで見散したままにしておった。

そ奴が帰って、変な眼をして立ったが、

「その机は俺のだ。なぜそこにおるか」という。

「貴様のことは承知だったが、留守だから俺が坐っていた。貴様が来れば退く考えじゃった」といったら、ぶすぶすいいながら座についた。

そして十八史略を読みはじめた。それから俺が側から、

「それは違う、こう読むんだ。それも間違っとる、こういう意味だ」というふうに面悪いほど直してやった。

そ奴、歯をぎしぎしならして俺の顔を見ていたが、やがて書物を伏せてどうするかとおもったら、

「こういう風にして、いつも教えて貰うと進みが非常に速い。これからどうかそういう風にして貰いたい」といって、とうとう叩きかかりもせなかった。

牛殺し代言

その後、長州の牢屋から出て、福岡の奈多浜（なたはま）の松原の中に、小さい塾を設けて青年と起居した。十三、四の少年もいた。大原義剛なぞもその十四ぐらいじゃったが来ていた一人じゃ。

周囲に墓なぞあって、静かな、景色のよい処じゃった。

暮れごろになると少年に、墓場に行って何か印を置いて来させた。行かぬと俺が縛り上げて海の潮につけるというものだから、初めは恐る恐る出掛けた。後には平気で行けるようになった。

その時のことじゃ。高場塾以来の友人どもが、宮川とか大蔵とかいうのがやって来て、代言人をやろうと思う、賛成しろという。理由は、代言人をやって金を儲けて、大いに青年を養うというのである。それから俺は、

「そんな事にはかたらぬ。金も儲ける、よい事もする、そんなことが代言人でできるか。代言人という奴は、嘘をいうことが商売じゃないか。貴様どもが代言人でもやったら嘘コキにくらいはなろうが、何が天下のためになるか。牛殺し代言人にくらいはなろう」といったら、宮川は非常に怒る、大蔵は俺に勧誘に来ておりながら、

「それはそうだ。代言人は悪い」とコイてたちまち俺に賛成した。とうとうこれもやめた。

その頃の言葉で悪劣な人間のことを牛殺しか代言人かというていた。やめてよかった。

中江兆民

中江（兆民）は、狂態を装うていたが、じつに天真爛漫なものであった。

病気しておるというから、日下部正一という友人といっしょに見舞いに行った。そのとき麹町に一戸持っていた。尋ねて行って、

「病気がだいぶ重いというから見舞いに来たが、しかしもし障るようであれば面会せずに帰ろうが、差し支えなかったら会ってゆきたい」といった。

すると奥さんが出て来て、

「病に障るどころではない。病人が毎日毎日逢わせてくれといって、黒板にあなたの名前を書いています。どうか逢ってやって下さい」という。

上がって枕頭にすわったところが、悦んでから俺の手をガッシリ摑んで涙を流して嬉しがった。しかし病気で声が出ない。物が言えなかったものだから、側にあった黒板に、白墨を取って、

「伊藤、山縣駄目、後ノ事タノム」

と書いた。それから俺が、

「ウン、ウン」といって首を二度うなずいて見せたら、非常に悦んでね、日下部のほうに

向き直った。また白墨を取って、黒板に、

「マダ、立ツ立ツ」

と書いて、拳を作って上腕を二、三度上に振って、ニッコリ笑った。まだ〇〇が立つというんだろう。

その日から一日か二日して死んだ。

〇

初めて知ったのは今から二、三十年も前じゃったろう。大阪で有志大会というのがあった。その席上で「私は中江といいます」といって名乗って来た。

それから三日続きに俺の大阪の宿に、

「ビール下さい。私はほかの奴のところには行きませんが、あなたのところじゃから来ます」といって来た。そのたびビールを半ダースずつ飲んで帰った。

いつも貧乏でいたが、じつに天真を流露していた。

ある時、岡山県の国民党の代議士で竹内というのが俺のうちに遊びに来た。中江といっしょになった。そのとき竹内が、

「中江さん、私はぜひ一度あなたのところにお伺いしようと思っています」といった。すると中江が、

「うん、貴様に俺は用はない。来ることはいらぬ」といってのけた。竹内も閉口させられ

た。

なかなか心がさえていた。伊藤ぐらいは物の数に入れずにおった。伊藤よりは大隈を上に見て、大隈はど底の豪傑といっていた。

大隈と神鞭と三浦

しかし大隈もなかなか面白い。

ある時、三浦（梧楼）と神鞭（知常）とが大隈を責めて、

「貴様はどこででもむやみにシャべる。あれを慎め」といって忠告した。そしてシャべらぬことにして何かの公席に出た。

そして三人並んで座った。ところが、もう大隈が立ち上がってシャべりはじめた。

三浦はあんな気象の男だから、大隈の面を見上げながら、

「そら、そら、それがいかん、それがいかん」と大声でいった。

神鞭はまたあんな質の男じゃから、横から大隈の着物を引っ張って、しきりとやめろやめろと注意した。

そうしたところが大隈が、後ろを振り返って、

「ヤリソコナッタカ？」とコイタそうだ。

大隈ならやり損なったかがいえるが、伊藤じゃこれはいえないね。

荒尾には面白い話がある

荒尾（精）という男は、みずから任じた男じゃったね。今の時においては誰ぞというくらいの見識も自惚れも、もっていた男じゃった。

俺と知ったのは明治二十年前後でもあったろう。福岡に俺がいたとき訪ねて来た。荒尾がまだ二十代、俺が三十出るか出ぬかじゃった。何でも俺より四つ下であった。それからはごく昵懇じゃった。

風采は堂々としておるし、弁舌はじつに流暢であり、そう、丈は俺よりすこし低かったが、よく肥っておった。目方なぞも二十二、三貫あった。二階の肖像も見たか。ああいう風でまだ大きかった。

一言にして評すると、老者はこれを安んじ幼者はこれを助く、という風であった。酒なども、なかなかやった。しかし、呑めば呑むほど慇懃になるようであった。

生まれは尾張じゃ。十七、八の頃じゃろう、大西郷のところに書生しておったというのは。軍籍に入って大尉になっていた。しかしほかに志すところがあってやめた。年は若し、一士官ではあったが、見識志望、将官ぐらいは遥かに低く見ておったようじゃ。

俺どもと違って、なかなか心掛けのよい者じゃった。

「たわいもない政党騒ぎなどは他に人があろう」といって、日清貿易研究所を起こした。

続いて東亜同文書院の設立に奔走した。大した時間もかからずにでき上がったようじゃ。心掛けと人物がよかったからじゃろう。

〇

ウン、荒尾には面白い話がある。

書生は大勢おる、なかなか費用がかかる。

「どうしても今ここに三千両作らねばならぬ」といって、俺のところにやって来た。判を押す者さえあれば金を貸すという高利貸がある。ところが、どこを見渡しても、自分の知った者の中では高利貸に信用のありそうな者がない。

「あの鳥尾ならよい。鳥尾得庵が判押すことを承知さえしてくるれば、高利貸も金を貸そう」という奴がある。

「しかしどうも自分では覚束ない。承知さしきるまい」といって、今田力というのと二人でやって来た。それから俺は、

「それくらいの事は何でもない。ほかの事ならともかく、貿易所のことならやろう」ということで、荒尾と今田と高利貸と、四人連れで鳥尾の熱海の別荘に行った。ところがちょうど鳥尾が東京に出てくるところで、途中で出遭った。さっそく、

「じつはあなたに頼みがあって出掛けたところでした」というので近傍の茶店の二階に上がって談判をはじめた。五人で座を作って、

「じつは荒尾の貿易研究所に三千両ぜひ金が要る。あなたの判さえ押してもらえば今でも貸すという高利貸があって、ここにそれを連れて、私が荒尾を誘って来たしだいです」といった。荒尾は気の毒そうにしていた。

するると鳥尾がちょっと考えて、

「高利貸はちょっと私も困りますが、その金は私で都合しましょう。しかし私が都合するといったところで私自身には持っておらぬ。私の友人から都合しましょう。あなた方のほうには人の障りがありませんか。人の障りがありませんでしたら、あの井上馨に頼んで出させましょう」というから、俺が、

「ええ、出来さえすれば、井上じゃろうが穢多じゃろうが一向かまいません」といった。ずいぶん俺の若いときは無作法な、考えのない言をいうものじゃった。しかし俺は心から井上は穢多と思っておった。

鳥尾が井上に作らすことになって別れた。ところが、途中で荒尾が、

「いくら何でも井上の金では」という、それから俺が、

「よいじゃないか、井上の金じゃろうが乞食の金じゃろうが。天下の財を天下の公益に少しでも広く使ってやったほうがよいじゃないか」といった。すると荒尾が、

「でも、井上の金じゃ困る。辞ってもらえまいか、折角じゃが」という。それから俺も、

「そうか、そう面倒ならことわろう」ということで、折角でしたがといって鳥尾にことわ

った。

俺なぞはそんなところが至ってダダクサじゃが、荒尾は、こういうところはちゃんとしておった。

鳥尾は俺(おん)どもよりは七、八つ上で、三浦どもぐらいじゃった。そのころ四十出たぐらいじゃったろう。若うして中将になっておった。桐野(きりの)(利秋(としあき))などの先輩を追い抜いて中将になった。

書く、シャベる、なぐる、なんでも来いの豪傑じゃった。長州の者で俺が親しく交わったのは、まあ、鳥尾、三浦、品川(しながわ)(弥二郎(やじろう))の三人じゃった。

○

荒尾の死んだのは惜しかった。今年いたら五十九になる。三十八で死んだと思う。あれがいたら、政治、軍事、経済と、大陸に対する日本の着眼はよほど大きく実現されたことじゃろう。

ああいう男は、何か天から使命を受けておるようじゃね。代りをやろうと思うても、なかなか代りが出ない。しかし荒尾には根津一(ねづはじめ)がいて、外は荒尾、内は根津でやっておった。根津だけなり生き残っておるのが今日(こんにち)の同文書院のあるゆえんじゃろう。

成り金よりも成り人じゃ

世の中の仕事は、一に人、二に人、三に人じゃ。持ち金や丈の高さを比べるとずいぶん人間に差があるようじゃが、心の丈や心の量を比べたら、とても一方はどこまで高いのやら、どのくらいあるものやら比べきれないものじゃ。

金持ちもよいが、心持ちはまたよいね。

成り金よりは成り人にならんと。成り金はいくらも出来るが、成り人はそう急に行かぬ。海軍拡張、師団増設は気のつくが、人間拡張、人心増設は大事じゃが気がつかぬ。

天上天下唯我独尊

きょうは、来るかと思って、貴様に一つ場所をあけて待っておった。忙しかったか。妙な縁故から、俺は相撲を見るようになった。あの天上天下唯我独尊で、張り切るばかりの満身の力を尽して戦うところが面白いね。

とくに贔屓というもない。ただ怠らず稽古も身を入れてやり、勝負も真剣でやるのが好きじゃ。栃木山もよい九州山もよい、大潮もよい大錦もよい。

きょうは九州山が、千葉ヶ崎に見事に負けた。しかし満場の血を沸かせたね。負けてもあのくらいに熱狂さするくらいじゃから九州もえらい。

みな二十五、六から三十前後の血気盛りで勇ましい。なに相撲ばかりじゃない、他の方面でもやはり二十五、六ぐらいからが本当によいのじゃろう、政界でも実業家でも。

ただ、相撲はすぐ結果がわかる。しかし他の方面ではちょっとわかりかねる。元気に満ちて足腰でも肉が張り切った者でなくちゃ。何事もできぬ老人は、ただただ員（かず）に供わるばかりの者じゃ。

時候の変り目は気をつけぬと

大民（雑誌）も次第にさかんになり、国士舘もよく行っておるようじゃ。何より重畳（ちょうじょう）じゃ。しかし今がいちばん大事な時じゃ。

時候の変り目は気をつけぬと。寒いときは風邪も引かぬが、少し暖かになるとかえって風邪ひく。

今がちょうど時候の変り目じゃからしっかりやらぬと。しかし、寒にしっかり鍛（きた）って真に寒に犯されぬ者は、暑にも克つようじゃ。

困難にも災苦にでも真に屈せず撓（たゆ）まぬ者は、富んでも安きにいても、決して驕らず油断せぬものじゃ。

富で驕り安きに油断する如きは、困難にも災苦にも、まだ十分克ち得なかった者じゃ。

寒に本鍛えをしておけば、暑にも克ち得ると同一じゃ。

誰が何といっても

いかなる大事業にも決して大勢は要らぬ、一人でいい。ただ一人、だれが何といっても俺がやり抜くという真に決心ある者が立てば、必ずや大成するものじゃ。

後藤象二郎が「どうも、人物がなくて」というから「貴様、人物になったらよかろう」といったら、「それはそう」といったことがあった。

だれかれと左右を顧みることはいらぬ。みずから信じてみずから任じて進めば足る。数億の信徒を有するキリストの大宗教も、釈迦の仏教も、煎じ詰むればキリスト一人の信であり、釈迦一人の信である。僅々一人の信念の深さ、これがすなわち世を蓋う大宗教の本体じゃ。

水の中から二つの石を拾い上げて、これを磨れば火を発する。火を発すれば、燃ゆる材料は周囲にいくらでもある。それもなるだけ生々しいのの方がよく燃ゆる。世に道を唱うるもこれと同一。水の中から石を拾い上げてこれを磨るまでがすこし骨で、ひとたび磨れば天を焚くの火となすは易々たることじゃ。

開祖の坊主なぞは皆これをやっておる。ひとつ開祖の坊主の気でしっかりやれ。時機もなかなかよい。

俺の親たち

俺の父は、筒井亀策といった。書画が非常に好きで、床の間や楣間ばかりでなく、部屋じゅう一面に、壁にまで書画を掛けて一日楽しんでいた。

兄弟じゅうで俺の骨格が一番よく父に似ておった。頑丈な体格じゃった。槍を使ったようじゃ。何でも、槍は目録ぐらいは取っておったようじゃ。

亡くなったときが七十六歳じゃった。あまり病気などはしたことがなかった。元気なものであった。俺が東京におった。福岡から父が病気になったという知らせがあったから、急いで帰って行った。

床に就いておったがね、俺を見て、

「外に連れて行け、外に連れて行け」という。床から起こして家の外に連れ出せ、床の上なんかじゃ死なぬということじゃね。

それから俺が静かに抱き上げて、床を離したところがそのまま息が絶えた。俺の膝に抱かれたまま亡くなった。ちょうど俺が三十六の年じゃった。

母は、俺が山口の獄にいるうちに亡くなった。俺が二十二、三じゃね。俺の心配をかけたのも幾分あったろうが、病が因であった。胃癌に罹（かか）っておった。

骨格は、あまり大きい方でもなかった。中ぐらいのものであった。自分の身扮（みなり）とか食い物、遊山（ゆさん）などいうことは少しも思わなかった。貞女慈母としては立派なものであったと思う。ただ専心一意に、夫に仕え、子を愛した。

わずか百石取りじゃったから、なかなか家計も豊かではない。筑前の三斗四升俵で百石というのは、二百俵ぐらいしかない。その中からまた十八俵かは中で引ける。これを今の金にしたら、月に四十円ぐらいのものじゃろう。これで一家七人の糊口をしのいで、一面社会の体面も立てて行かねばならないのじゃから、骨の折れ方も一通りではなかったようじゃ。

ことに俺なぞは乱暴で、毎日毎日近所から悪戯の言いつけの二つや三つ来られぬ日はない。よほど持て余したものと見える。ある時、半日でよいから、よその子のようにあってくれればいいと、俺を指してつくづく歎息したことを、今でも憶えている。

十三、四まではじつに迷惑のかけ通し、悪タレの仕通しをやった。子供の時分の年の一つや二つぐらい年上の者はたいていコナシ付けておった。

十七歳のときからズッと大きくなったが、その以前は身体はごく小さかった。頭ばかり大きくして意地がまた非常に良くなかった。

近所の子供が俺のことを「百舌鳥」「百舌鳥」とあだ名をつけておった。親たちの心配のほども考えられる。

父は、なかなか細心な質であった。じつに些細な点まで考えた。水も漏らさぬほどあれこれと何事によらず心配した。非常に苦労性の人であった。

しかしまた、いったん過ぎ去ったことは決してあれこれいわなかった。すなわち非常にあきらめもよかった。事に当っては、やる前には細かい気を配る。しかし配れるだけ配れば、後いかなる結果になっても、さっぱりあきらめて一言もいわなかった。

同時に非常に倹素であった。一粒の飯、一片の反古(ほご)もいやしくもせなかった。有用のことには家財を挙げることも辞せなかったが、無用の費(ついえ)は深く戒めた。

倹素な、細心な、正直な、いい親であった。

俺の子供の時分は「どんな者になるだろう」「大変な悪者になりはせぬか」と噂された。兄弟はまたみな正直者じゃ。が、いまでも「どうかいい方に向いてくれねばならぬが」と心配したということを話しては笑うが、親たちが揃った正直者じゃから、俺も根は正直にちがいない。

俺の親たちは、世間のどの親たちにもさして劣らぬ、親としては実にいい親であったと思う。

鼻くえ猿

昔あるところに十匹猿がおった。そのうちの九匹まではみな鼻がくえて無かった。たった一匹だけが鼻を持っておった。

すると九匹の鼻くえ猿どもが、一匹の鼻のある猿を見て、

「貴様はじつに可笑しい奴じゃ。鼻があるじゃないか」と笑った。

鼻のある猿は、負けん気で、

「貴様たちこそ可笑しい奴じゃ。鼻がないくらい無様(ぶざま)なことがあるか」と笑い返した。

するとまた九匹の猿が、

「猿に鼻のある奴があるか。論より証拠、見てみろ。貴様より以外には、ただひとり鼻のある奴はおらぬではないか」といった。

そこで一匹の鼻をもった猿がいちいち見てみると、なるほど、一匹でも鼻をもった猿はいない。自分一人が鼻のあることに気づいた。

そこでとうとう、これは俺の鼻のあるのが間違っておったと考えて、鼻を削って、鼻なし組に仲間入りしたという話がある。

いまの日本は、教育でも政治でも、何の方面でもこれじゃね。

精神のこもらぬ間違った奴のほうが数が多いから、初めに毅然として立派な行き方をしておった者までが、どうも今の世間ではこれでは通らぬということで、とうとう鼻を落して鼻なし仲間にはいったようじゃ。

若い貴様たちのせっかく持った鼻は、落さぬように大事にせぬといかん。

主とするところが違う

北条時宗(ほうじょうときむね)が元(げん)の使いを切った。このときに、蒙古の軍が十万来るとか二十万来るとか、日本の兵士はわずかに幾万しかいないとかいう兵数ごときを考えておったら、なかなかこの元の使い切るべしの断はなかったろう。

時宗の胸には「道のため切るべきか否か」「国家のため切るべきか否か」ただこれあるのみで、十万二十万の兵数ごときはほとんど眼中にないのじゃね。

主とするところが違うじゃ。

◯

吉田松陰の詩であったと思う、たしか、

倫理重而身命軽
目中何有虎賁兵
他年餓死西山志
即是当初叩馬情

というのがある。
周の武王が殷の紂王を討とうとして、あまた猛将勇卒を従えて出ようとしておった。ところに伯夷、叔斉の二忠臣が出て来て、武王の馬の口綱をとらえて、身を賭して諫めた。
「臣にして君を殺することはいかぬ」といって、
これを見た数万の猛将勇士が、不届きな奴といって切ろうとする。しかし二人は少しもそんな奴は眼中に映じてない。映ずるはただ君一人、道一つじゃね。

ついに武王はこれを用いずに暴を遂げた。そこで二人は周の粟を食わずといって、西山に入り、蕨を食って餓死した。

餓えても厭わぬ心、すなわち眼中虎賁の兵なき、馬を叩いて諫めた志じゃね。

これを吉田松陰が歌ったものじゃ。重きはただ人の道じゃ。道あるのみ、国家あるのみ。無意無心、足を投じ手を挙ぐ。何ものかこれを阻みこれを疑うの隙があろうか。

近頃の軍人

近ごろ軍人に会うと「軍人は引き合わぬ」ということをよくいう。月給が少なかったり、贅沢ができなかったり、割に合わぬということを、戯れにいっておるかと思ったら、真から思っておるようじゃ。

まるで商人が品物の売買するときのいい草のようじゃ。どうもその気が知れぬ。気節を誇るという風はまるで見えない。金銭を非常に崇拝する。それが地位の上位の者ほど甚だしいようじゃ。

ある者が「電話をかけているのを見ておると、電話口で頭をなんべんでも下げておる」といって、軍人が金持ちに対する態度のあまりに卑屈であるのを笑っておったが、電話でまでおじぎするようではいかぬ。

割に合うというのは、どのくらいの金が手に入ればいいのか。金で割に合うくらいの命では、安いものじゃ。高くても知れたものじゃ。

　封建時代に四十万の士族がいた。これを明治になってから解散して、国民皆兵というので、百姓も商人も、今までの士族と同様に兵に就くことにした。こうすれば、何十万でも何百万でも兵ができると考えたのじゃろう。

　百姓も商人もこれに気節を修養させて高潔な士族の高さをあげたのならよかったが、士族の意地を引き下げて、百姓商人の卑劣な方に堕落さしたことにはいっこう気が付かんでおるようじゃ。

　頭数は非常な増加じゃが、これと共に精神気節を増加することを忘れては、あまり支那やアメリカの兵隊は笑われぬ。

　古(いにしえ)の武将を語る者は、上杉(うえすぎ)、武田(たけだ)というように、謙信(けんしん)、信玄(しんげん)にまず指を折るが、その味のあるところは、区々の領土の拡張ぐらいに眼のくらんだようなところはみじんもなく、まして己れの一命のごときも、じっに槿花(きんか)に宿る露もおろかくらいの了見はいずれもある。この根底から出た戦(いくさ)であり戦闘であるから、割に合うとか引き合わぬとかいうような憫(あわ)れな考えの近ごろの軍人とは、趣きが違うようじゃ。

　いまの軍人は面(つら)からして一目みて品が悪いようじゃ。

それは末じゃ

福岡で役人が賄賂（わいろ）を取ったといって、大分やかましくいっておるようじゃね。

しかしあれらの小役人は落し穴に落ち込んだようなもんで、むしろ気の毒なほうじゃ。大事な、政治や風教の根元の責任ある者どもが、自分の身にも行えぬ法律や心にもない徳議論で、日本独特の風教も義理も人情も踏みにじったやり方を国民に強いているから、いくら口先と法律のうえでは誤魔化しても、自分自身に信仰のない誠意のないことが天下に行われよう道理がない。

これらの小罪人を責むる前に、ヌシどもこそ罪を謝せねばならぬ。免れて恥なき悪風の源、金銭以外に、自己の腹をこやし地位をむさぼる以外に、何物もないという手本を見せている呑舟（どんしゅう）の魚（うお）こそ、最も悪（にく）むべきである。

みずから疚（やま）しくさえなければ、ちょっと出入りするにも、巡査とか憲兵とかに仰々しく守らせておくという必要はない。

万人には褒められぬまでも、政治でもやっていたら、一人や二人ぐらいからは後姿ぐらい拝まれるくらいでなくてはならぬ。

感情はつのる

支那の留学生が騒ぐといって、警察が手を出したのはみっともない。日本から見れば弱い者じゃから、弱い者にはキツクやることは見苦しい。これも外国人などのように日本人より強い顔している者に対して、不都合な事をやったときにひどく懲らしめたというなら聞きよいがねー。

ことに弱い者には、ただでさえヒガミ心がありたがるものじゃから、普通でも面白くなくなる。よほど気をつけて優しくしてやらぬと。

西洋人に対する態度と反対にせなければいかぬ。騒ぎなぞは感情にもとづいておるから、なおさら用心せぬと。感情は募りやすいものじゃから、こちらまでが感情でやってはいかぬ。よく考えて、余裕をもって、思いやって接するようにせぬと。ことにふだんが大事じゃ。

支那の学生たちから利益を得ようくらいの了簡ではいかん。政府も民間も共になって親切にしてやらぬと。月謝は取る、下宿料は高くする。支那の学生が来るから儲かるくらいの心でやっておるようでは、不時の出来事のときにいくらいって聞かせても効力がない。心事を疑われているから、手を尽せば尽すほど、言葉を出せば出すほど感情を悪くする。日本人を教ゆるでも、西郷南洲の塾とか吉田松陰の塾とかいうものは月謝など取った話を聞かぬようじゃ。ちょっと教えに行けばいくらになる、というような教え方ではいかん。月謝は先生から出す、食料(くいしろ)まで出す、命まで投げ出して教えておるようじゃ。

これだけの親切と覚悟で平常やっておれば、今度のような出来事のときには、一言で治まろう。もしこれに従わぬようでは罰が当る、という感じを起こさするくらいでなくては。今はどのくらい来ておったか？　二、三千人もいたか？　一時は二万人ぐらいはいたことがあったようだ、日露戦争の後などは。

寄宿舎を作るなり、よく具体的に世話することにせぬといかん。支那の留学生がどうのこうのと他人の事をいう代りに、自分の事を顧みることを知らんと。日本はどうかと省みることがいちばん大事じゃ。

油断をしていると、反対に日本が嗤われるようになりはせぬか。留学生など、なかなか勉強するというじゃないか。ことにいずれも、国家が危急存亡の巌頭に突き出されていることを自覚しておるようじゃ。

政治とか法律とか学ぶ者以外の、工科なぞの学生も一致の行動をとったというじゃないか。日本はこれだけの国家に対する自覚を持っているか。ぐずぐずしておると反対にならぬとはいえぬ。

支那の学生は、朝の気分のような緊張したところがある。学生ながら双肩には国家がかかっているという精神がある。日本人は昼すぎの気分のように、わが事成れりというふうな、だった精神でおるようじゃ。国家の事、一つにわが一身にかかれりというような心でいる者がはたして幾人おるか。

支那留学生などのことを軽率に悪くはいえぬ。未熟な考えもあろうが、愛すべき、掬すべき情があることを認めてやらぬと。国家の燃え失せても眠っているよりは、火の粉を見ても火事と思って駆けつける者のほうが数等上ではないか。

是非よりは衷情をくんでやり、他人の事より自分の足下を、気をつくるが大事じゃ。

少将の資格

種田（政明）じゃったと思う、陸軍少将になったときに西郷に向って、

「少将の資格は、何がいちばん大事でしょうか」と尋ねた。西郷が、

「五十人や百人二百人ぐらいの者は、その人のためならいつでも悦んで命を捨てるようであれば、真の少将の資格あるものといえよう」といった。

なかなかこういう少将は今時にはあるまい。中将にも大将にもありそうにない。

この言葉が、多くの子や親や夫やを殺されても少しも恨みとも思わず、かえってその人の徳を慕っておるという、西郷の口から出たのじゃから面白い。

殺して恨みず、奪うて悪まず。すなわち、命を取られても財産を投げ出してもいとわぬという大人の心事じゃろう。

身のためにこれほど尽す者も、いまは少なかろう。

大恵不覚

ひどく親切にされると、だんだん甘えて、いわゆる背けば抱け、というふうに増長する。何事でも世話になるくせに、いっこう有難がっていないように見える。

子供のときなぞ、自分の親の情けは何とも思わぬが、他人がたまに物でもくれると非常に恩におもう。

人に徹底した親切を尽すなら、決して恩におもわれようなどいう考えではいかん。

しかし、恩を受けたときには決して忘れてはならぬ。恩の大なるほど気が付かなくなって、かえって恨みに思ったりする。大恵不覚じゃ。

昔の人が「川を渡るときに、たまに渡し船でわたしてもらうと、たいそう有難がって礼をいう、賃を払ったりするが、つねに架けてある橋は何とも思っていない。礼もいわねば金も払わぬ。有難さを感じてもいない。ちょうどこういうものじゃ」といっておる。

親の恩などいうものは、あまり恩が浩大じゃから、かえってわからない。

俺の鴨放し場

宮城の濠を埋めているというが、何のためかね。あのお濠は、俺が生きた鴨をもらったときにいつも放しに行くところじゃが。役人どもが町人算盤(そろばん)をハジイテおりはせぬか。

盗はその主を悪む

英国がいいのドイツが悪い(にく)のというが、日本にとってはどちらも同じじゃ。英国がよければドイツもよい。ドイツが悪ければ英国も悪い。

口先は何といっていようと、識者には、人殺しが地蔵の面をかぶっているというくらいのことはすでに知れておるのじゃ。

アメリカに行い、インドに加えた手段を、支那に行い、全アジアに加えようというのが彼らの真意じゃ。しかもその事ほとんど成れりと思ったところへ日本がひとり眼を醒(さま)したのじゃから、彼らの日本に対する感情の面白かるべき道理がない。

日本さえなかったらと思うにつけて、どのくらい悪く思っているかはたいてい想像されるじゃ。

この大戦後は日本の一大危機であるというが、危機はすでに来ておる。アジアは釜中(ふちゅう)の魚(うお)のごとく、危機にとうよりある。ただ、彼らも危難をかもし出したために、共に危機にあるようになっているのである。

それをもっか日本のみが「危機でない、危機は戦後に来る」ごとく思うておるのは大なる過ちである。識者の憂いはここにある。

ことに親独とか親英とか、風を望んで恃(たの)むところを二、三にするのは亡国のためじゃ、みずから侮るものじゃ。みずから侮って、人これを侮らざるはない。恃むに足る日本を見出すことが肝要じゃ。

南冥と仙厓

亀井南冥は、経世済民の学はもとより兵制軍事のことに至るまで、ほとんど通ぜざるなき学者で、筑前黒田侯の参政も務めていたという。

ある日、藩公の前で政治軍制などの評議が開かれしとき、南冥は、日ごろ懐抱する意見を細大もらさず書面に認めてこれを提出した。

そして南冥は、

「この書である。この書をお用いあればすなわち南冥をお用いあることで、もしこれをお用いなきときは、南冥は政治に備わる要はない。しかし諸公には、無学じゃから、失礼ながらこの書は読めまい。拙者が読んで進じよう」といいつつ堂々たる態度で読んで聞かした。かつ、声をはげまして、

「この道は、古より幾多の聖王君子、英雄豪傑の士が頭にいただいて尊重してきたものであるから決して用いて誤りはない。夢疑わずご実行あれば、天下の重きに任ずること易々たる事であろう」といって、以後参政の職をなげうって決して出仕せなかったそうじゃ。骨頭の見るべきものがあった。

ちょうど名僧仙厓和尚と同時代で、ある商家が花嫁をもらう祝儀の場に二人が招待せられた。

ところが、仙厓和尚は常になく立派な衣服をまとうて来た。これを見た南冥が、さっそく語を発して、

「和尚、何をもってかこの新婦の装いをなす」といった。

すると仙厓、カラカラと笑って、即座に、

「この善男児を産まんがために」と、南冥を指差しながら答えたということじゃ。

鵬斎と独嘯庵

南冥が英傑学者であったというのは、十五ぐらいの頃から京都に出で、鵬斎、独嘯庵と号する学者に就いて、薪水の労を取りつつ螢雪の苦を積んだからであろう。

この独嘯庵というのは非常な荒者で、

「医はただ、飯の料を得んための方便にすぎず。志は経世済民にあり」と豪語しておった。年の十三、四の頃は、すでに天下の名流を歴訪して人物の胸底をたたき、医者の名ある者にも遇った。

当時多くの医者が茶器などを翫んでいるのを見て、故意に落して割ったり叩きつけたりして不快の念をはらした。

十六の年には一廉（いっかど）の人物として医者の門戸を開いていた。「吐法（とほう）」という奇妙な医術を工夫しだして、たいていの病人はこれで治した。

しかし、間々やり損じてはこれでもって病人を殺すこともあった。そのときには自分から費用を出してその石碑を樹ててやって、石碑の裏に「永富独嘯庵、吐法をもってこれを殺す」と自書を刻したそうじゃ。

◯

さる大名が大病に罹（かか）って、ほとんどあらゆる医者を呼んだがみな匙を投げた。ただ死を待つのみというに至って永富独嘯庵に頼みに来た。

独嘯庵「みなが見限って、いかなることがあろうと一言も他から口を出さず、拙者に一任するというなら考えが無いでもない」といった。

一同相談しなおしたが他に方法もない。

「お頼みする。決して口は挟まぬ」という。

独嘯庵「それでは」といって、自分の薬籠（やくろう）から変な水薬を出していろいろ調合しておったが、最後になって急に首をかしげて考え込んだ。

しばらくの間、薬瓶（やくびん）を両手に考えていたが、

「エエ、殺すか？」というなり、その薬を調合した。

これを聞いて家来やら親戚やら、急に驚き出して、

「殺されてはならぬ」と故障をいい出した。すると独嘯庵、

「そういう事をいうじゃろうと思うたから前にあれほど約束しておいたのである。たって
というなら拙者は手を引くまでじゃ」と、何といってもきかぬ。

皆も考えたがほかに途がない。評議の結果いよいよ一任した。

そうすると、どういう薬を盛っておったものか、その大名の病気が治った。

さあ大変な悦びと、信用の厚いこと夥しい。一日独嘯庵を招いて、

「何なりと望むとおり礼をしょう。遠慮なくいってくれ」という。

独嘯庵、考えていたが、大名の邸の庭前に大きな岩があるのを指して、

「あの岩を貰いたい。あの岩を運ぶ人夫も添えて」というた。

「それは易いこと」というので、何百人もの人夫に綱を曳かせて邸内から引き出させた。

独嘯庵、どこに持って行くかと思うと、海岸の波打ち際の広々としたところまで曳いて
来させて、

「もうここでよい。岩もこのほうが窮屈でなくてよかろう」といって、サッサッと後も見
ずに立ち去ったそうじゃ。

「どうもいまの医者という奴は幇間のようでいかん」といって、独り気を負うていたそう
じゃ。この感化が南冥に及んだのであろう。

日本はどうなる

今度の米の騒動で一般が非常に不安にかられて、この先日本はどうなるでしょうかと真面目に質ぬる者が多い。

日本は神祖以来、よく調和し、秩序づけられて来たので、上下の和、国民の和によって今日まで強を誇ってきたのじゃから、今この秩序を失い、和合を欠いたら、真にどうなるものか知れない。

ロシアとか支那とかいうように、土地が大きいでもなければ、人口が多いでも財があるでもない。ただ人心の和、秩序の力で、少数の多数、小国の大国で来たのじゃから。英米なぞは日本を悪むこと甚だしい。しかし秩序が整然として隙がないので手が出せぬわけじゃから、これを失したとなると日本は危うい。真にどうなるかわからない。

官吏が疑われるはよくない

官吏なぞが商人に結託しておるなぞ疑われることはよくない。

実際は、決していうほどの事があるはずもなかろうが、それにしても、放っておいてもひとりでずんずん大きくなる商人には世話の押し売りをして、世話をせねば立ち行かぬ多数の人民には冷淡であるごときは、いずれにあっても不為じゃ。

それはもちろん、大いに伸び得る力ある大商人には、海外でどうせ大仕事をやらせねばならぬから、その途を開けて保護することはせねばならぬ。しかし国内の細い者を苦しめるような事に肩持つことは甚だよくない。

高く持しておって国民を導かねばならぬ官吏が、金さえある者なら昨日まで人殺しをやった奴でも上座に据えて、尊敬する風を平気でやるようでは、疑われても申し訳があるまい。

またそれらの一、二の寵商のためにも、計って忠ならざる結果を来たすのじゃ。不公平をやれば必ずや衆怨の府となり、いつかは取り返しのつかぬ危害を負わしむるようなことになる。

自分の首ぐらい何でもないじゃ

寺内（正毅）の邸も巡査が三、四十も番しておるが、よほど心配と見えるね。

うむ、道にたがえば親子も仇じゃ。自分で自分の首を突くことにもなる。

道に生きる者には、自分の首ぐらいは何でもないことじゃ。ことに騒ぎを静むるくらいが手柄になるようでは、とてもいくまい。騒ぎなからしむる事を功とはいえぬ。ますます楽しんで国力の発展を国民が図るようで、自分たちの手柄が少しも目に見えぬところに、はじめて政治らしいものといえよう。

将は功なきものじゃ

古より総大将は、他の部将や兵士の功を賞し、労をねぎらうのみで、自分を賞したりせぬものじゃ。

みずからの功を高々と吹聴するごときは、成り上がらんとする新参者のことである。将たるものは功なきがごとくあるべきじゃ。

しかるに、いまの将は功の押し売りをやる。まだ結果も知れぬ先から位やら報酬やらを強要するようじゃ。そのくせに責任は避けたがる。総理は大臣に、大臣は相場師に、官吏は国民に、悪いことは他人に負わせ、良いことは人のものまでわが物顔する。じつに醜い。口先で長々と言い訳をするが、もう言葉じゃない、ますます醜くなるじゃ。この恥を知らぬ将の多いことが、米騒動などより大きな憂いじゃ。

人種の改良をやかましくいった奴がいたが、いつの間にか日本人とは種子の違った人間が大臣どもには増したようじゃ。

文覚と西行

文覚はなかなか剛気なものであったと見える。和論語の中に、彼の言葉として、「本無よりすらりと抜けて釈迦の利剣を揮うべし。天下無敵なり」というのがあったと思う。そのくらいのところまでは行っておったと見える。

ちょうど西行（さいぎょう）の名がたいへん盛んな時代で、

「じつに西行という坊主は、けしからん奴である。坊主のくせに歌を詠んだりする。出会ったが最後、叩き伏せてやる」といって待ち構えていた。

ところへある日、西行が文覚のもとを訪ねた。文覚の弟子たちが、今日こそ豪傑坊主の出会いであるから、どうなりゆくものかと思って、障子の破（や）れから息を殺して覗いておった。

すると、はじめ対座して挨拶をした当座は文覚のほうが頭が高いように見えた。しばしすると同じように見えた。だんだん時が経つと文覚の頭が下がってしまった。いざ西行が立って帰ろうとすると、まるで弟子が先生に対するような態度で文覚が送った。

大勢の弟子たちが腑に落ちかねて、

「日ごろのあなたのお言葉にも似ず、無事に、叩きもせずに西行をお帰しになったのはどういうわけですか」と聞いた。すると文覚が、

「どうしてどうして、叩くどころの沙汰でない。俺が叩かれなかったのが、せめてものことであった。貴様どもにはあの面魂（つらだましい）が見えないか」といったそうじゃ。

文覚もじゃが、西行はまた一段と上であったと見える。

舜はこれ大不孝

人に親切を尽して、俺はこうもしてやったというように思ったら、どれほどの厚意もかえって仇になろう。

真の親切は、親が子のために尽すように、こうもしたいが、ああもしてやりたいが、自分が力が足らずして少しも世話が届かぬ、まことに済まぬと足らざるを恥じる、このどうも済まぬと思うだけが、いくらか済むのであろう。

また、恩を返すとか知己に報ゆるとかいうことも、俺はこのくらいにあの人のために努めたから、こうも計ったから、恩もだいぶ報いたというような考えであったら、とても恩は返されまい。

心の底から、何とか報恩の万分の一なりとせねばならぬが、まことに心足らずして相済まぬと感じて、力の限り尽しながら足らざるをのみ憂うるくらいが幾分の報恩であろう。

舜はこれ大不孝、瞽叟はこれ大慈父ということが、王陽明の伝習録かにあったと思う。この意味であろう。俺は無学でいっこう書物などは知らぬが。

舜は、世間からは非常に親孝行者といわれているが、自分では天下一の不孝者と思っており、どうかして親に孝行したいと思って一生不孝者で親に尽した。

その父の瞽叟というのは、自分では非常に慈悲深い親のつもりでいた。しかし舜を苦しめ悪むこと非常で、後妻を迎えるやら舜を毒殺しょうとするやら、世にも無慈悲な親といわれている。つまり、大慈父と思うのは大不慈父で、大不孝と思うて尽す心が天下第一の孝行であるということじゃろう。

尽してやったと思うのは間違い。報いたと考うるのは大誤り。実際人間は済まぬことばかりであろう。

真に背負う者はすくない

国家を背負うというが、多くは国家に背を付けておるぐらいのものじゃ。真に背負う者はすくない。

実際無人の境かも知れぬ

真に任じたら、彼が邪魔であるの、だれが偉いの、人間ぐらいは相手が無くなろう。実際、任ずるの大なるものには無人の境かも知れぬ。やり抜くじゃ。

小村は真に国家を背負った

小村（寿太郎）は、真に国家を背負っておったようじゃ。桂といっしょに、伊藤などが日露同盟でもやろうぐらいに思っておった時に必死となって日英同盟をやった。これなどは国を背負っておった表れじゃ。

元老などを桂がよくまとめたといっていたが、実際は小村がよく引き廻しておったのじゃろう。

体量は八貫ぐらいしかなかったというが、大きな重い国をよく背負い抜いたものじゃ。

勝と山岡の子爵

井上らが伯爵になるというので、勝（海舟）と山岡（鉄舟）とに子爵をもらえといったと見える。

勝は、

今までは並の男と思ひしに　五尺に足らで子爵になりけり

で受けなき意を答えた。

井上らは、また山岡にもいった。すると山岡が、

「自分などのごとき何ら勲功なき者が、栄爵を受くるというわれがない」という。

井上が「しかし、僕らも伯爵をもらうから、君も受けたらいいじゃないか」

山岡が「君らのようにしてもらうなら、僕には伯爵もいまだ足れりとしない」というて、

とうとう辞したという。

勝なぞも、五尺ぐらいはあるつもりでいたろうに、井上らより丈が低くては閉口したろう。

百年またかくの如きか

勝の明治政府に仲間入りしての述懐であろう。

一たび禄位を忝（かたじけの）ふせしより
挙止その是を失ふ
猛省昨非を悟る
豈（あ）にまた恥を思はざらんや
長く歎ず破窓の下
百年またかくの如きか
残生今いくばくぞ
生をぬすむは死するにしかず

という詩がある。

天下の悪筆

俺の書か。俺が書など書こうとは、思ったこともなかった。荒尾精が「あなたと山地（独眼龍）の書は天下の二大悪筆です」といったことがあった。

いつからか人に書かせられるようになった。どうかしたときはすぐにその座でも書くことがある。そうかと思うと八年も九年も頼まれたまま忘れているのもある。

そうね、だいぶ書いたようじゃ。悪筆を天下に散布するもよかろう。

盲しているほうの肩ぐらいは

山地は土佐で、板垣が大将でその下にいた。いつか戦がだいぶ味方に不利の場合があったとき、板垣が退軍を命じた。

ところが山地がただひとり踏み止まって、大勢の敵を切り立てた。何でも肩先に傷まで負うたそうじゃ。

山地の友人に山田喜久馬（のちに平左衛門）という年は十九の剛の者がいて、「山田喜久馬、十有九年生き過ぎたり。人生五十夢のごとし」と信長を気取って、躍りながら刀をふるって切り込んで、山地の危急を救い、ついに敵を追い払った。

あとで板垣が呼びつけて、

「命令にそむいたうえ傷まで負うということは不都合じゃ」といった。すると山地が、「なに、メクラしておるほうの肩ぐらい切られたところで」といったそうじゃ。何でも、目の見えぬほうの肩をやられておったそうじゃ。

一人か二人踏み止まれば退軍せんでも、ぐらいに思っておったのじゃろう。

俺のような馬鹿を

山田平左衛門というのは、自由民権で林有造(はやしゆうぞう)らと九州辺までも来た。大食の大剛で、うどんの三十六杯ぐらいはやったそうじゃ。

政治運動で、警官や警部に護送されてゆく途中で一所に休息した。その店に西瓜(すいか)をたくさん売っておった。そやつを警部らが馳走したそうじゃ。

山田は、ひとりでだいぶ平らげた。警部らも一つ食おうと思って手を出しかけると、「イエもう自分で取って食います」といって、それも取り上げて食ったそうじゃ。

立志社の社長などに推されたことがあったそうじゃが、

「俺のような馬鹿を、馬鹿どもが社長にするなんか、大馬鹿な」といって、とうとう表には立たなかったそうじゃ。二十年ぐらいまでは生きていた。

桐野利秋

明治初年、廃藩置県をやり、武士を廃して徴兵をやるということを鳥尾小弥太（とりおこやた）がとなえた。これを桐野（きりの）が聞いて、

「日本国家は俺（おん）ども武士でもっておる。不都合なことをいう奴じゃ」といって、刀を持って鳥尾を脅しの談判に来た。

なかなか弁もたって、滔々（とうとう）と大音に論じ立てるものじゃそうじゃ。鳥尾もまた、

「俺も鳥尾じゃ。貴様などに脅かされるか」というので盛んに駁（ばく）するそうじゃ。

するとまた桐野が論ずる。しかし桐野は、鳥尾の言うことなどは少しも聞いていないで、ただ自分の説だけを相手に浴びせかくるそうじゃが、とうとう論伏し得ないで帰ったそうじゃ。

しかし愉快なもので、嘘を非常に嫌って、

「日本はこのままにしておくと、軍人も文官も、百姓も町人もみな嘘をコクようになって、国もなにも嘘で亡ぼしてしまう。俺（おん）ども薩摩一国でしっかりして日本を支えなければならぬ」というて任じておったそうじゃ。

○

あるとき岩倉に会って、

「長袖木偶の徒が」といったという。

岩倉が聞きとがめて、

「長袖木偶とは誰のことか」といった。すると桐野が、

「貴方らのことでごわす」といい放ったそうじゃ。そうして帰りに親友の池上四郎（いけのうえしろう）という者の家に寄ってその話をしたところが、池上が、

「そういうことをいって」といったそうじゃ。

桐野が、

「君たちは通じんから」といって、友達まで叱り飛ばしたそうじゃ。

○

西郷は手厚いものじゃったろうが、桐野などはいっさい闘わなかったと見える。十年の役に、いよいよ敗軍になって、兵は少数になり、士気は衰えかけたときに、桐野が、

「戦争戦争いうから、も少し強いかと思ったら、あんがい弱いものじゃ。源頼朝（みなもとのよりとも）は、ほんの少数で、大木のウロに隠れてさえ天下を取ったじゃないか。気を落す必要はない。これだけいれば十分やれる」といって、アハアハ笑っていたそうじゃ。

大隈などは一縮みになっていたものじゃそうじゃ。いわんや西郷を大隈などがときどき評しているのを見受くるが、慮外じゃね。

しかし桐野も大久保には閉口しておったそうじゃ。桐野が大久保を説き伏せようとして訪ねると、

「重大な責任の位置におるから軽々に事はされぬ。内外の大勢（たいせい）を洞察して、最もよきに従

わねばならぬ。君に僕をして背かしむるだけの名説があればよろこんで従う。承ろう」という。

桐野が言えば、大久保はまた一段と理の通ったことをいう。とうとう桐野が、

「大久保はいかぬ。とても彼奴(あやつ)は言論ではいかぬ」といったということじゃ。

大久保も一身の利害なんかを考える者じゃないじゃ。真に国のために画(えが)いておったのは事実じゃ。

西郷と大久保

これは事実がどうか分らぬが、人が西郷と大久保の相違を形に表したのかしらんが、大久保が、剣を英国に注文をして、立派な造りなどをたいそう嬉しがって、来る者ごとに誇っておった。

あるとき西郷のところでこれを誇ってみせた。すると西郷が手に取って、

「これは美しい、美しい」といってほめて、

「これは美しいから、しばらく貸してくれまいか」といって借りて行った。

大久保は、西郷があれをほめて持って行ったから、あの通りのを英国に注文でもするのじゃろうと思っていたそうじゃ。

しかし半年も一年も返さない。大久保は忘れることもならず、西郷に、

「刀はまだ返してくれんか」と尋ねた。すると西郷が、「ああ、あの刀か。あれはうちに持っておったところが、若い者たちが美しい美しいというて、くれというたから、打ちくれてやった」というたそうじゃ。

大久保なぞが剣などを悦んで持っているのが、西郷には可笑しく思われたじゃろう。

鳥尾と西郷

征韓論の当時、鳥尾が、西郷に、

「貴方がおやりになるなら、大久保が帰らぬうちにおやりなさい。やってしまいさえすれば」といって、大久保が西洋から帰らぬ先に断行を勧めたそうじゃ。

しかし西郷は、大久保ぐらいはいてもさして邪魔とは思わなかったろう、鳥尾の言葉を用いなかったそうじゃ。

まさか大久保が岩倉や何かを引き出して、かげで細工をやろうとは気が付かなかったろう。

鳥尾が「西郷が諾いてくるれば、ああいう事にならずに済んだものに、惜しいことをした」といっておった。

鳥尾は桐野などより十歳ぐらいは下で、十も十五も上の井上、山縣などと共に進んで、十年の役ごろは、桐野は少将で、鳥尾は中将じゃった。桂なぞと同年ぐらいであったが、桂は中佐か少佐じゃった。西郷などにも信じられていたらしい。何しろ大村（益次郎）の衣鉢をそっくり襲いだと言われていたくらいじゃから。

ずっと俗物であったら、総理大臣には何度もなったじゃろう。

死せる孔明

ドイツも案外じゃったね。も少しくらいはやるじゃろうと思っておった。この春の勢いでは、今にもインドぐらいまで出てくるじゃろうと面白く思っていたに。

だいぶ日本の役人の腰もぐらついていたようじゃったが。

すこし敵を安くみた傾きがあったね。日露戦争前まではロシアなどを非常に恐れていたが、日露戦争以来、見くびったようじゃね。傲慢なやり方が悪かった。敵にせんでもよいものを敵にした。

英国はなかなかそこは悧巧じゃ。まだ人の注意せぬ先に日本を見抜いて同盟を結ぶとか、今度の米国を引き入れるとか、「碁は造りにあり」をやるようじゃ。

しかし、ドイツの敗けは、露国や墺国の破れたのよりは油断のできぬような気がするね。「死せる孔明生ける仲達を走らす」のところじゃ。

ドイツもこれに考えて、内に反省し、正道に立ちかえり新たに進路を開いたら、かえってまた禍が福になるかも知れぬ。

なかなかよく戦ったものじゃ。和を乞うても、自国へは敵を入れぬじゃないか。今度の戦争で、ふだん軽蔑されていたインド兵などが勇敢にやったことは結構じゃった。またドイツのエムデンとかウェーゼとかいうのが海上の活動は、だいぶ英国の心胆を寒うしたり、信用を落したり、インドなぞを心配さしたようじゃね。

講和会議もその後も、仲間がかえって敵視することもあろう。「両美相嫉む」といって、同じような美人が二人いると互いに嫉みあうそうじゃ。英米の間なども、ことごとくは一致しまい。

日本も、口でいっているくらいでは追いつかない。支那でもインドでも、頼みになるものにせねばならぬ。英国は執念なものじゃね。

杉浦重剛

杉浦（重剛）を知ったのは条約改正のときじゃ。谷干城、鳥尾得庵、三浦梧楼あたりが反対であった。杉浦も同意見で、ともに条約改正を打ち破りにさかんに活動した。ちょうど三十年来の知己じゃ。

多いようじゃが人も少ないものじゃね。まあこのぐらいのものであったろう、表立って反対を唱えたのは。心の中では思っていても口に出さない者もあったろう。また賛成とも反対ともどっちつかずも大分じゃったろう。

君子の典型というのは、今の世には杉浦をいうのじゃろう。それはなかなか練れて練りぬいたものじゃ。己れに対しては非常に厳なものじゃ。しかし人に向ってはまたはなはだ寛なものじゃ。

己れを持することの厳なものは他に向っても酷でありがちじゃが、珍しいものじゃね。火でも水でも、焼きも溺れもされぬものじゃ。正義の塊じゃね。

俺は、まだ小村などもあまり顕（あらわ）れぬ時分から、小村を外務に、杉浦の文部などは適任であろうと思っておった。しかし小村もあれだけ働いたし、杉浦もこんにちの栄職はうれしい。

憎い面もしておらぬ

その頃の役人どもといったら態（ざま）はなかったね。伊藤、井上などが先に立って舞踏会などをやって、宮中の女官までも毛唐に取り持つという風で、見られたざまではなかった。仮装会などいって、何でも、あの大山（おおやま）（巌（いわお））なんぞも飴売りか何かやったそうじゃ。おかしな声色を使ってね。

憎い奴らじゃ。しかし刀で切ると穢（けが）れるから、糞の池でも造っておいて首から突きこんでやれぐらいに言っておった。

なに、会ってみると井上でも伊藤でも、そう憎いような面（つら）もしておらぬが、やる仕打ちがどうにも容しがたき奴らと思わしたね。

勝が悦んで

来島が憤慨して、勝を訪ねて、

「いまのこの態は何事ですか。あなた方がいてこういう事をさしておくとは。麒麟も老ゆれば駑馬に劣るとはぁなたのことでしょう」といった。

すると勝が非常に悦んで、

世の中も我もかくまで老いにけり　云はで心になげきこそすれ

と書いてやって、

「じつに面目ない。あなた方こそ」といって非常に歓待したそうじゃ。

覚えておるほどのことは

そう、おれに何かやったことを話せというから、

「話したら一口じゃ。書いたら三行りとは無いぞ。別段、覚えておるほどの事はしたことがない」といったら、それぎり来なかった。

それを何かだいぶ長く書き立てておるそうじゃね、俺と玄洋社とか何とかいって。俺の長い話は、みな嘘じゃや。頭山の序文なぞがあるものじゃない。そっち達がいちばんよく知っておろう。

三浦と鳥尾

三浦は小さい時分から非常な秀才であったそうじゃが、鳥尾(とりお)は、鳥尾の馬鹿息子で通っておったそうじゃや。身体ばかり大きくてね。

三浦が十七かの年に、人を殺して切腹させらるることになった。三浦は、その覚悟をして、もう永くは生きておられぬ、今のうちに寝ておこうと思って眠っておったところへ、鳥尾の息子がたずねて来て、眠っていると聞いて「それでは出直そう」といって帰って、そしてまたやって来て、三浦に向って、

「君は実につまらぬ事になってくれた。君はたのもしい者になるだろうと思って、頼みに思っておったに、実につまらぬ事になってくれた」というたそうじゃや。

三浦は「なにを馬鹿息子が」とはじめは思っておったそうじゃが、だんだん踞(しゃが)んで話してみた。これはなかなかしっかりしておるなと、このときに思うようになり、

「もうできた後じゃから仕方がない。まあ心安く死んでくれぐらいに」というような話をしておったそうじゃや。

それから三浦が、鳥尾に学問などを教えてやったりして、一つ違いで引き立ててきたそうじゃ。

ところが鳥尾の読書というが、側で聞いていると、嘘の読み方を平気でやっておる。で意味を尋ねると、実によく真を解しているそうじゃ。非常な進歩で、とうとう三浦などをしのいで立身した。

水泳ぎ

水泳ぎは、子供のときから好きじゃった。少々の年長者よりは、よく無鉄砲な泳ぎをした。

十一のとき、近所の十三ぐらいの児といっしょに浜に泳ぎに行った。俺は先に飛び込んで跳ねまわったが、年上の児は泳ぎを知らんというのではいらぬ。

「よし、俺が泳がせてやる」といって無理に連れ込んだ。

ところが、じつは自分の泳ぎができていないくせに年上の大きな者に抱きつかれておるものじゃから、いくら力を出して泳いでもいかぬ。

二人とも溺れ死にそうになった。これはと思って連れの手を離して、やっと俺ひとり上がった。

上がったものの連れを見ると、だんだん溺れ死にそうになっている。これはいかぬ、俺が無理に引き込んでおいて殺しては俺もどうせ死なねばならぬ、どうせ死ぬならいっしょに溺れて死のう。

即座に決心がついたから、また飛び込んだ。そしてそ奴の手を取って、背にかついで、めくら滅法にバタツイた。

無我夢中でやった。すると、ひょいと蹴った足が砂についた。それに元気づいて、やっと浜にたどりついた。

そのとき少しでも躊躇したら、二人とも助からなかったね。

その気なら

鳳(おおとり)はどうも成績がよくないようじゃね、気が弱いから。

稽古のときなどはなかなか強いという。土俵は倒れてもよい場所じゃ。倒れる気でやれば、もっと立派にやれよう。またその気ならまた誰にも負けもせぬ。

今年は板垣(退助)も見えぬが、風邪でも引いていやせぬか。も一つは太刀山(たちやま)が引退したからであろう。

安川(やすかわ)(敬一郎(けいいちろう))は相撲など好きそうでなくて欠かさぬようじゃ。平岡(浩太郎)が相撲好きそうで、いっこう見に行かなかったが、人間は妙なものじゃね。

信長

信長が、皇室を尊ぶことに気付いたのは普通の者じゃない。日本はこれでなくては治まらぬというのは、自明の理じゃが、当時虎狼の徒には目前の小利小名しか見えぬからね。

天下の材と認むべきはこの一事じゃ。

秀吉

秀吉の眼中には、柴田（勝家）などはなかったろう。（明智）光秀一人ぐらいのものであったろう。

家康

家康の眼中には、加藤（清正）などはなかったろう。あったのは石田三成ぐらいのものじゃったろう。

星亨

うむ、星（亨）はちょっと幅があった。そう深くは交わらぬから解らぬ。
俺に、ぜひ仲間に入ってくれというから、

「それはいかぬ。大井（憲太郎）を入れろ」といったら、

「大井はすぐ腹立てますから」といった。大井には閉口していたようじゃ。

易者

俺も、平岡が貧乏時代に、いっしょに易者に見せたことがある。

なんでも上野公園の近くと思った。大庭と林斧助と、平岡浩太郎と俺と、四人連れじゃった。そう、三十一、二のころかね。平岡が三十四、五かね。

はじめ大庭と林とを見せた。

易者の奴「二人とも才に長けた方です。世の中を楽に暮らそうとする人で、あまり骨を折らぬでもいけるでしょう」という。

次に平岡を見せた。

「あなたはなかなか大きな事をする人です。しかし浮沈はたいそうありますが、世の中に名を挙げるでしょう」というた。

最後に俺が見せた。

「あなたも大きな事をしなさる。しかしどうにも危険なことを好む質です」といった。

自分ではいっこう危険も感ぜぬが、何を言ったか。

講和会議

講和会議は長引くじゃろう。骨の折る事には出す手が少ないが、楽で獲物となると、なかなか手数が多くなろう。

日本も幕内（まくうち）には、はいっておるわけじゃね。

父の感化

亀井南冥（かめいなんめい）の父親というのは、もと百姓であったそうじゃ。

ある日、澄んだ川で、自分の顔が映っているのを見て、容貌が非常にしっかりしているのに感じて、自分はこれは百姓などしている身分でない、今までこう碌々（ろくろく）としていたのは、はなはだ済まぬことであるというので、百姓をなげうって学に志し、学者のもとに行って医を学んだ。進歩も著しく、まもなく立派な医者になったが、医を専一とせずに、志を治国、経世済民に注いだそうじゃ。

男の子が二人あって、兄が南冥となり、弟が曇栄（どんえい）とかいって博多の崇福寺（そうふくじ）の和尚になったのじゃそうじゃ。

子を教ゆるに非常な過激なもので、南冥などは七歳ぐらいから、詩題を与えて、大雪の積っている中に裸足で追い出して、与えたところの題について詩ができるまでは、どんなことがあろうとも家に上がって来ることを許さなかったそうじゃ。
万事がその式であったそうじゃが、南冥が十五か弟が十三かの年に、二人を前に呼んで、「貴様たちも今日までは膝下におって来たが、これから後は一切かまわぬから、どこへなりと出てゆくように。親子の縁も今日かぎりに切るから、生死ともに、こちらも知らせぬが、貴様たちも知らすることはいらぬ。万一、親子の名乗りがしたいと思ったら、天下にあっぱれ豪傑といわれて来い。それでなければいっさい親子の名乗りは許さぬ」と言い渡して、着の身着のままで家を追放したそうじゃ。

ところが、南冥は十五にもなっているから覚悟がつくが、弟のほうは年も少なし、気象も兄よりは温和で、道の幾里かを歩いたところが泣き出したそうじゃ。

労りながら、知り合いの親類の家にたどり着いた。すると、試みに題を出して詩を詠ませられたそうじゃ。詩の即吟は父親から七歳のときから鍛われて育っているから、即座に詠んだ。それが非常によくできたというので、これはどうして私たちの及ぶところでない、先生であるというので、先生待遇して留めたそうじゃ。

それから京都に出て、永富独嘯庵の弟子になり、天下に大儒の名をうたわれて親子の名乗りができたのじゃそうじゃ。

○

この父は、死にざまがなかなか壮である。

何でも、火事の際に父の位牌を持ち出すことができぬで焼失してしまったという事を非常に心にとがめて、

「大不孝をした。まことに済まぬ事をした」といって残念がり、その不孝の申し訳に自分は生きながら焼け死んでお詫びしますといって、整然と仕度をして、自分の書斎に火を放って、自分はその真中に端座して焼け死んでいったそうじゃ。

南冥が見つけて、親を救おうとして書斎にむかったときには、すでに一面火で、父の焼け死んでゆく姿を目前に見ながら寄りつくことができず、ついに親を救うことができなかった、といって死ぬまで悔いていたそうじゃ。

南冥ほどの豪傑学者が、父のことを思い出しては、

「親父ぐらい恐ろしい人はない。一眼みられると身のすくむようじゃ」といっていたそうじゃ。

なかなか壮烈なものじゃったと見える。

大義をきむる

源頼朝（みなもとのよりとも）が「人間はまず大義を一っちゃんときむることが大事である。大義をきめたならば、恥を忍ぶことと貧乏に堪ゆることの二つを心掛けさえすれば、何事でも成就する」といって、また、

「世の中を一寸と思え」といっておる。

「人の一生というものは決して一尺も二尺も長いものでない。ほんの一寸しかないものである。極めて短いものであるということを忘るるな」といったということが、和論語の中にあったようじゃ。

覇業の魁をやっただけあってちょっと味があるようじゃ。

議会のざま

俺が副島（種臣）に、

「いまの議会のざまを西郷に見せたら何というでしょうか」といったら、副島が、

「何ともいわぬでしょう。ただシーッというでしょう」と話したことがある。

隈の案内に犬

西郷は鰻がたいそう好きであったそうじゃ。それを知って大隈が、西郷に、

「うなぎをご馳走したいですから、どうぞおいで下さらぬか」といって案内したそうじゃ。

すると西郷が、

「それは馳走に参ろう。しかし、連れがあるからそのつもりで」といったという。

大隈のほうでは、その日うなぎを連れの分まで用意して待っておったそうじゃ。

西郷はやって来た。しかし、連れは誰も来ないでただ一人で来た。

大隈が不審に思うて、

「お連れの方は」と聞いたところが、

「連れでごわすか。連れは玄関に待っておるからたくさんの馳走して下され」という。

大隈のうちで玄関に出てみると、犬が供をして来て待っているという。

犬を連れてうなぎの馳走に行ったのじゃ。隈の馳走には犬ぐらいが適当とでも思ったのじゃなかろう。なかなか面白い。

大隈も西洋に生まれていたら、ウィルソンか何かよりはやるものじゃろう。

馬鹿な面の引き伸ばし合い

パリ会議の世界環視のなかで、日本が支那と馬鹿な面のくらべ合っていることは、注文をしてもできぬ愚かなことじゃ。

じつに支那も愚かなものじゃ。後援者と頼んでいる者の親切心がどこから出たか、その辺も考えずに、うかうかと日本の反感を挑発して、所得何ものを望んでいるか。

日本のほうも責があるじゃ。こんにちの愚を見るように、従来の政府が支那を養っておるのじゃ。陰で膝をうって喜び、手をついて笑っている者があることを知らぬと見える。

ますますこれからも、いずれが長いか、馬鹿な面の引き伸ばし合いをやることであろう。

この支那の無礼は忘れてならぬが、日本当局の責めもこの分では済むまい。

人を責むるは最後じゃ

強者敵なしではいかぬ、仁者敵なしでないと。ドイツなどの敗るるのも、そこを誤っておるからじゃ。日本が朝鮮人などに臨むにしても、強者敵なしというような、西洋人流の粗末な考えをまねてはいかぬ。

旧(ふる)い交際(つきあい)の友人間にも疑いは起こりがちじゃ。よほど自らの心事に欠くるところなきように努めぬと。人を責むるは、よくよくの最後じゃ。

自分の心に省みて、俺はこのくらいにも思い、これほどにも尽しておるに、いまだ後悔するところがあるな、というところがあって責むるのでなくては。

自己の足らざるを蔽(おお)わんがための脅しなどは、なさぬに優るじゃ。極めて優しきものがあって、はじめて敵なしじゃ。

俺の病気

俺の病気は胃じゃ。そう、もうだいぶ古いものじゃ。二十何年も前に、福岡におるとき、胃潰瘍をやった。

熊谷玄旦(くまがいげんたん)という者がそのころ一番といわれた医者じゃったが、俺の容態をみて、

「とてもむつかしい」といった。

橘養三郎（たちばなようざぶろう）というのが、やはり医者で、俺の懇意な人じゃったが、ちょうど博多の油屋（あぶらや）が同じような病で死んだ席で熊谷と出会ったそうじゃ。すると熊谷が、

「こんどは頭山の番じゃ。もう長いことはない」といったという。

橘が心配してやって来て、

「熊谷がそういいます」というから、

「医者などが知るか」といっておいた。

そのうちに癒（なお）って、東京に来ようと思って停車場に行ったら熊谷と会うたじゃ。たいへん肥えてね、太っていたもんじゃから、

「もう病気はすっかりよろしいですか」といって、熊谷が不審がっていた事があった。

○

それから、また烈（はげ）しいやつをやってね、咽喉（のど）には何も通らぬ。尻（けつ）から滋養浣腸などやってみた。しかしそれもやめた。何を食ってもみな吐く。

それから、茶瓶（ちゃびん）に氷を入れて来させて、それに水と塩をかきまぜて、坐り直して口から無理につかみこんだ。そして金盥（かなだらい）を前に置いて吐いた。すると渋色の血の腐ったようなものが出た。よく幾度もやったらそれでやんだようじゃ。口も胃も馬鹿のようになって感じがなくなった。

食い物が少しとまるようになった。梅干と湯をといて一服やった。胃にとまった。二、三服やった。

次に葛湯をやった。それもとまった。それから大根を煮さして食った。それもとまった。ばたばた治ったようじゃ。

あとで板垣（医者）が来たから話したら、

「それは、コレラのときに食塩注射をするのを咽頭からやるんじゃから効くはずです」といった。

真木和泉と平野

真木和泉は琵琶が好きであったそうじゃ。平野（国臣）が、

四つの緒の糸の調べの音にめでて　きこえまほしくかねてしのびて

といって琵琶が聞きたいと書き送った。すると真木が、

世の中にひきみだされて四つの緒の　人をもいまは調べあはなくに

と返している。なかなか風流な中に志が溢れておる。

また黒田の藩主に、

「小さいことぐらいは捨てておいて一藩の力を賭して京師(けいし)の守護に任ずるように。日本六十余州を臂(うで)にかけて、一ふりにふってみせる」といって説諭して、

たが為めに筑紫(つくし)の国の君ならむ　つくさせたまへあまつみかどに

といっておる。

高山彦九郎の最後

高山が久留米で腹を切って死のうとする時、志士と往復した書類などを落ちなくまとめて、盆に水を入れてとらせて、それにひたして湮滅して、少しも累を他の友人に及ぼさぬようにして、端座して皇居の方に恭しく拝してみごとに腹を切った。

宿の主人が飛んで来て、

「他国の人を、無断でとめておくさえ面倒であるのに、死なれてはどういう難儀があるかも知れません」というて、たいそう泣きついた。

すると高山が、

「それでは早く役人に届けて来るように。それまでは迷惑のかからぬように、待っておるから」といって、うつ伏せになっていた。

役人が来て、あまり静かであるものじゃから、死んでおるものと思って扇の先で突いてみたじゃ。すると高山が、

「尾籠（びろう）ッ」と大きな声で叱りつけた。

役人は驚いて飛び上がった。

するとおもむろに口を開いて、

「忠は不忠となり、義は義となる。わが為に天下の豪傑に謝せよ。狂発せるのみ」といったそうじゃ。

高山は上野（こうずけ）の農家の子であった。十一のときに勤王心を起こした。

兄がおとなしい人で農をやっていた。農家のことは兄に任せておけばいい、自分には外に務めがある。農家のことは一切やらなかった。近所から狂人扱いされていたものじゃそうじゃ。

山賊から和尚に

坊主が盗人（ぬすっと）になったのもあるようじゃが、何でも大徳寺の和尚のうちに、山賊からなったのがあるという。

小僧もなかなかの奴じゃったと見える。ある時、山路を一人して行っておったところが山賊に出遇った。山賊が、

「持っている金をみな出せ」という。

「それは出そう」といって、なにがしかの有り金を皆くれてやって立ち去った。

路のすこしも行ったところ、ふと袂に手を入れてみたところが、どうしたものか、小僧の袂の中にまだ一文銭が残っておった。

「ああ、これはしまった。皆やるといっておいて、まだ残っておる。これは偽りをいったことになる」といって、また後返って来た。そして山賊に向って、

「じつは、有り金を皆やるというておきながら、じつに済まぬことをして、袂の中にまだ一文銭残っておった。約束はまげられぬ。どうかこれも取っておいてくれるように。こうして、いま俺が貴様たちに金をやるのは、事によると、前世に貴様らから俺が借りておったのを返すのかも知れぬ。もしそれでなければ、いま俺があらたに貴様たちに貸してやるのかも知れぬ。どうもそうかも知れぬ。俺が前世の借りを返すか、いま新たに貴様たちに貸すのかも知れぬ」といって、

さきの世にかりしをなすか今貸すか　さても因果はめぐりあふもの

という歌を一つ詠んで、

「ああこれでさっぱりした。ああ行くとしょう」とゆるゆる、さも愉快そうにあるき出したという。

山賊の奴ら、最前から小僧の様子を見ていたが、急に何か考えたらしく、

「おいおい小僧ちょっと待ってくれ。どうもこれは調子が変じゃ。盗った俺のほうが、何だか盗られた貴様よりは、得はせぬで損をしておるようじゃ。俺は盗人はきょう限りにして坊主になろう。どうも坊主のほうがよさそうじゃ。一つ小僧さん、俺をお寺に連れて行って、坊主になれるように世話してくれぬか」と頼んだ。そこで小僧が、

「それも面白い。それでは一ついっしょに行こう」というので商売を替えて、修行して、立派な和尚になったという。

さきの世にかりしをなすか今貸すかは、面白いね。

栗山大膳

栗山大膳(くりやまだいぜん)はなかなかの者じゃ。主君黒田忠之(くろだただゆき)にさし出した諫言書などいうものは、じつに古今の名文で、忠誠神に通じ、情と理と兼ねたはもちろん、尚書、貞観政要(じょうがんせいよう)、論語、孟子、史記、孝経などの書を引いて、じつに堂々たるものじゃ。

忠之がわがままで、諫言でもする忠義の士は蟄居閉門は軽いほう、首ぐらいはすぐ飛ぶ。

「そういう烈しい諫言書など出してはすぐ手打ちになる」といった者に対して、

「諫めて死するは臣下の大慶なり」といっておる。

一念汚れぬ忠義の大精神は文武の力が加わっておるから、じつに気持のよい働きをしたものじゃ。

大石良雄などが吉良を討って細川家へ預けられていたとき、細川の主人越中守が、大石の忠義をたたえたそうじゃ。すると大石が、

「いや、この大石のごときは、栗山大膳にくらべては、まことに恥ずかしい次第。大膳は、主家黒田家は安泰に置く、領土の士民は安んずる、自身もまた全うしている。良雄などが、主家も、領土の士民と自身も亡ぼしたに比べては、とても及ばぬ忠義でござる」といったということじゃ。

仙台伊達家の伊達安芸、赤穂の大石とかと共に、日本のその頃の三大忠臣といわれていたそうじゃ。

心の裡から燃ゆる忠義の心と学問とが一つになって、つねに命を投げ出して社稷を救っておる。

なかなか腕が冴えておる。

○

いったん黒田の主君を反逆といい立てて、その誣告の罪を一身に荷って流罪になり、陸

奥の国に流されて、二万石か貰って悠々と余生を全うしている。

陸奥に流されて行ったところが、そこの代官が、どうした傲慢な奴かといって、異常な威張った態度を悪くいっていたそうじゃが、学問はあり、人品が非常じゃから、ある時のこと、代官が栗山を訪ねて、

「武士の第一に心掛くべきことは何事でござろうか」というて尋ねたそうじゃ。

すると大膳が、

「いやしくも男子と生まれたものは、一天万乗の天子となって仁をあまねく天下に施くことを志とするじゃ。しかし、わが日の本は、天子となることは何人も許さぬ。ゆえにまず将軍となって、山間僻村に至るまで饑寒凍餒の者なからしむるを念とせねばならぬ」といって聞かせたそうじゃ。

代官は非常に驚いたという。まま、せいぜい務め大事にやって、百石か二百石も加増に与ればよいとでもいうかと思っておったろうに、どうした大きなことをいう人かと思ったらしい。

肥後の加藤、福島などみな没落したのに、黒田の今日あるのはこの力が多きによろう。

英米と償金

講和会議で、フランスやベルギーなどが償金を取るのは聞ゆるが、英国米国なぞがとる

というのはいらぬことじゃ。

フランスはとられたこともあり、ベルギーなぞは全く迷惑しておるから、これは当然とるもよろしいが、英国米国などは、あらゆる土地、植民地利益などをとっておるから、その上に償金は見苦しくて不当じゃ。

朝鮮統治

妻や児でも、道に違えばなかなか服せぬものじゃ。まして一国をなしておったものを、天に代って仁を施してやるのじゃから、よほどその心が徹るようにせぬと。

平常の親切が普くして、はじめて威も重くなるのじゃから、平常が非常でなくては。

この三つの幸福

うむ、縁といっておるのは、よくいっておる。人間に生まれたことは全く有難いことじゃ。なかなか生まれられるものじゃない。

この人間に生まれた事と、日本に生まれた事と、男に生まれた事を、しっかり感じなくては。この三つはなかなかのものじゃ。

そのほかの金銭や何かは余計なものじゃ、なくもがなじゃ。

この三つの幸福をしっかり感じて、ありがたく発起すれば、大したものじゃ。

死んだら

ある奴が、非常に困って金を借りに行ったそうじゃ。たった五百でいいから、これがないと死なねばならぬからといって。

ところが貸してくれなかったそうじゃ。それから、その奴が歌を詠んで死んだそうじゃ。

死んだならたった五百といふだろう　生きていたなら百も貸すまい

友情なども、死んでみると、ああ尽しておけばよかったと思うが、生きている間はなかなか尽せぬものじゃ。

金子は金子の七十年

金子(かねこ)（堅太郎(けんたろう)）か、金子は金子の七十年を貢献しておる。そう注文しちゃいかぬ。

誰やらの歌に、

あめつちにうけしまことをそのままに　咲きてはしぼむ朝顔の花

というのがあったようじゃ。

朝顔は朝顔でよい。松をまねるはよくない。

俺は何もしきらぬ

俺は何もしきらぬ、無精で。

金玉均（きんぎょくきん）という奴が非常に才のある男で、まるで俺と反対のやり手じゃったが、よほど俺がノロく見えたとみえて、

「君が働いてくれると、ほんとうにハカが行くけれども」というから、

「うむ、貴様から見たらよほど俺はノロく見ゆるだろう。また俺から貴様をみると、おかしいほど小器用なものじゃやねー」といったら、

「これはまたご挨拶」といって二人で大いに笑ったことがあった。

俺は何もしきらなかった。そち達もうっかりしておると、六十年はまたたく間だ。一日を一生の気でしっかりやり抜け。

大石が団扇

なかなか珍しい、いつも戦争に出ている気でいる心掛けは。

大石の書いた団扇（うちわ）というのがあったが、

うつつにもあふぐ忘れぬ暑さをば　心に持ちてねるうちはかな

と書いておったようじゃ。

聖人はなかなかのもの

神のことを、熊沢蕃山(くまざわばんざん)は、

みな人のまいる社(やしろ)に神はなし　人の心のうちにまします

と歌っておるに、中江藤樹(なかえとうじゅ)は、

千早ふる神の社は月なれや　参る心のうちにうつろふ

とか歌っておる。

それはなかなかのものじゃ、聖人といわれるものは。

足軽の株

大臣になるに金が要るか、金で買うのか。まるで足軽の株を買うようじゃね。

昔は、足軽の株をよく売り買いしたそうじゃや。しかし、大名の株は買えなかったようじやが。

大臣の株売りは珍じゃね。

良寛と元政

二十四、五年も前かね。俺が北海道に行ったときに、宿に良寛の書というのが掛けてあった。文句は深草の元政じゃとかいって、それを良寛が書いたらしい。じつに見事なものであった。文句はよくも覚えておらぬが、

不幸にして世を背ける墨の衣にはあらで、髪結うがむつかしさに頭を剃り、茅の軒、竹の柱にかなう身なればここにとめ置く心ぞかし。浮世と見れば足を空になして東西にあるき南北に行く人多し。身を思う事業のみにて、吉野の花の哀れをも知らず。深草のうずらの声を聞いては焼いてしてやりたいと思い、あすは何となることやら、静かならぬことは人間のみにあらず。山を出ずる雲は雨を催さんため忙しくも走り、秋山の鹿は

妻恋う世話に声かぎり鳴く。これを思えばわが身ほど楽なるはなし。

恵心の作の阿弥陀一体もてども後生を願うためにもあらず。持ち伝えたる道具なれば御宿申すまでなり。極楽に行き楽しみたいと思う慾心なければ地獄に堕る恐れもなし。死ぬるまで生きておろうと思えば年の行くをへちまとも思わず。籬の破れにある庭の朝顔よがもうがあんなものと思い、嵐吹く夜の小夜しぐれ降ろうが降るまいが、わが身一人の苦にもならず。

敷込二枚、土瓶一つにらちはあき、雑煮食わぬ身には聞かせまいともいわぬ鶯の音を心よく聞き、夜着持たぬ家には宿せぬとも言わぬえこひいきのない窓もる月を眺め、寝るはずの眼なれば、ねむたければひきこもり、あるくはずの足なれば、手の奴、足の乗りもの、心のゆくところにまよいあるけども、盗人せぬ身なれば人もとがめず。覚えたことなければ忘れたことなく、年も数えたことなければ幾歳なるやら知らず。

飽くまであくの抜けた、良寛の筆は見事に書いてあった。このまた深草の元政という老和尚が、死んだ知らせが面白い。

深草の元政坊は死んだげな　わが身ながらも哀れなりけり

振るってるね。

良寛は越後かね。なかなか変った者とみえる。書もだいぶよい。

誠

誠じゃ。俺なぞも、たいていその辺とは見当はついておるが、七十年なかなか至り得ぬ。

神

神じゃ。髪一筋もじゃ。

離れて離れず

永富独嘯庵(ながとみどくしょうあん)はなかなかのもので、和論語に、

それ山林甲介之士、万物を外にして立たず。

思慮を滅して独住するもの、大人(たいじん)の道にあらず。

英覇将相之器、功名を主として働き、智勇を奮ってやまざるもの、また大人の道にあらず。

古(いにしえ)のいわゆる有道の士は、沢四海にかぶれども有りとせず、富天下を保てども与(あずか)らず、

冥冥杳杳として物と一つとなる。
舜はことにその中をとるといい、孔子は一つもってこれを貫くという。
太公統矜の日、韓子心術の諸編、面を反すれば背に合す。
古今をわたって二つなきなり。

というたとあったようじゃ。離れて離れずということじゃろう。

西郷従道と日清役

西郷（従道）が海軍大臣で、樺山（資紀）がその次官をしておって、二人して毎日毎日メクラ判ばかり押しておったそうじゃ。

フム、西郷が樺山に、

「こげんメクラ判ばかり押しとるが、いったい日本の海軍はちっとは進歩しとるじゃろうか」といったそうじゃ。これにはさすがの樺山も開いた口が塞がらなかったそうじゃ。

日清役の前に、支那の丁汝昌が鎮遠だの定遠だの大艦隊を率いて日本にやって来た。なかなか優勢でとても見たところ日本の海軍なぞは敵いそうもない。

あの中牟田倉之助が軍令部長をしておって、

「とてもいま日本が支那と戦争するなんか、そんな馬鹿げたことができるものか。とてもあの海軍に勝てるものじゃない」といって、なかなか戦争しようといわぬ。従道が「そんならあんたはやめなさるがよかろう」といって早速休職さしてしまって、樺山を連れて来た。

樺山は何か考えがあって、辞職して郷里に帰っておった。それを事情を話して西郷が連れ出したのじゃ。

樺山は「清国とほんとに戦いすることなら私は承知します。それには私はすこし考えていることがありますから」といって出て来て、伊藤、井上、松方（正義）どもを一座にして戦争するかせぬかの会議を開いた。その席で樺山が、

「清国とほんとに戦争しなさるなら私は悦んでお引き受けします。どうですか」といったそうじゃ。

伊藤や井上などは頭をさげて、下ばかり見ていてだまってしまってね、するともせぬとも一言もいわなかったそうじゃ。

すると西郷が、

「よろしうございます。私がきっと保証します。どなたにもご賛成でございます」といったそうじゃ。

それで樺山が引き受けることになったところが、西郷が、

「樺山さん、日本のために死んで下され。人間はどこにおっても死ぬもんでおわすけん」

といったそうじゃ。

そうして日清戦争は勝った。ところが後で西郷は、

「樺山さんは豪(えら)か人でございます。樺山さんのおかげで戦争は勝ちました」といったそうじゃ。

自分でやらしておいて他人を褒めていた。年は樺山のほうがすこし上であったろう。

◯

なかなか味もやるので、伊藤が欧米から帰ってビスマークを褒めて、やたらにビスマークを気取っていたら、西郷が、

「伊藤さん、そう見りゃどうもあなたの顔がビスマークの顔にそっくり似てきました」には伊藤も閉口したそうじゃ。

新聞職工の同盟罷工

民本が民本叩き出したか。

酒

俺は酒は一滴もいかなかった。ほかの者は皆やったようじゃ。むしろ奨励する風があった。生来、酒坏(さかずき)持つのが嫌いじゃからわがままを通して来たわけじゃ。

かえって俺の酒を呑まぬのを歓迎するようじゃった。

そう箱田(はこだ)は強かった。進藤(しんどう)もなかなか豪じゃ。五升徳利、一斗樽は珍しくなかったようじゃ。

人間線香

人間は火のついた線香だ。三十で線香に気がつけば働けよう。

天下の三楽

父母ともにあり、兄弟(けいてい)ゆえなき、一の楽しみなり。

仰いで天に恥じず、伏して人に恥じず、二の楽なり。

広く天下の英才を得て、これを教養する、三の楽なり。

とか孟子にいってあるようじゃ。

父母兄弟強きはすでに天下の一楽は得ておるわけじゃ。よく心を尽しあって、第二第三を心掛くれば、三楽あわせ得らるる。

一瞬間一生の気でやり抜くことじゃ。

［完］

頭山満〈とうやま・みつる〉
一八五五年（安政2）福岡に生まれる。社会運動家。号は立雲。父は福岡藩士・筒井亀策。七六年（明治9）、萩の乱に連座し、西南の役を獄中で迎える。出獄後、向陽社（のちの玄洋社）を結成し自由民権運動に投じ、次第に国家主義・アジア主義に傾く。亡命中の孫文、金玉均、ビハリ・ボースらを援助し、また黒龍会の顧問も務めるなど、在野にあって外交・内政に隠然たる影響力を持った。戦中の一九四四年（昭和19）没す、寿八十九。

頭山翁清話（とうやまおうせいわ）

頭山満 著

二〇二四年三月三十一日初版

発行 土曜社

東京都江東区東雲一ー一ー六ー九二

底本 大民倶楽部版（一九三三）

本　は　土　曜　社

西暦	著　　者	書　　名	本　体
1991	岡崎久彦	繁栄と衰退と	1,850
2001	ボーデイン	キッチン・コンフィデンシャル	1,850
2002	ボーデイン	クックズ・ツアー	1,850
2012	アルタ・タバカ	リガ案内	1,991
	坂口恭平	*Practice for a Revolution*	1,500
	ソロスほか	混乱の本質	952
	坂口恭平	*Build Your Own Independent Nation*	1,100
2013	黒田東彦ほか	世界は考える	1,900
	ブレマーほか	新アジア地政学	1,700
2014	安倍晋三ほか	世　界　論	1,199
	坂口恭平	坂口恭平のぼうけん　一	952
	meme（ミーム）	３着の日記	1,870
2015	ソロスほか	秩序の喪失	1,850
	坂口恭平	新しい花	1,500
2016	ソロスほか	安定とその敵	952
2019	川﨑智子・鶴崎いづみ	整体対話読本　ある	1,850
2020	アオとゲン	クマと恐竜（坂口恭平製作）	1,500
2021	川﨑智子	整体覚書　道順	895
	川﨑智子・鶴崎いづみ	体操をつくる	1,700
	増田悦佐	クルマ社会・七つの大罪	2,998
2022	川﨑・鶴崎・江頭	整体対話読本　お金の話	1,850
	川﨑智子	整体覚書　道程	895
2023	鶴崎いづみ	私のアルバイト放浪記	1,998
	川﨑智子	整体対話読本　こどもと整体	1,998
2024	川﨑智子	整体覚書　道理	近刊
年二回	ツバメノート	Ａ４手帳	1,399

本の土曜社

西暦	著者	書名	本体
1923	マヤコフスキー	声のために（ファクシミリ版）	2,850
	マヤコフスキー	これについて	952
1924	マヤコフスキー	ヴラジーミル・イリイチ・レーニン	952
1925	頭山満	大西郷遺訓	795
1927	マヤコフスキー	とてもいい！	952
1928	マヤコフスキー	南京虫	952
	マヤコフスキー	私自身	952
1929	マヤコフスキー	風呂	952
1930	永瀬牙之輔	すし通	999
	福沢桃介	財界人物我観	1,998
1932	二木謙三	完全営養と玄米食	999
1936	ロルカ	ロルカ詩集	2,000
1939	モーロワ	私の生活技術	999
	大川周明	日本二千六百年史	952
1941	川田順	愛国百人一首	1,998
1942	大川周明	米英東亜侵略史	795
	二木謙三	健康への道	2,998
1952	坂口安吾	安吾史譚	795
1953	坂口安吾	信長	895
1955	坂口安吾	真書太閤記	714
1958	池島信平	雑誌記者	895
1959	トリュフォー	大人は判ってくれない	1,300
1960	ベトガー	熱意は通ず	1,500
1963	プラス	シルヴィア・プラス詩集	2,800
1964	ハスキンス	*Cowboy Kate & Other Stories*	2,381
	ハスキンス	*Cowboy Kate & Other Stories*（原書）	79,800
	ヘミングウェイ	移動祝祭日	999
	神吉晴夫	俺は現役だ	1,998
1965	オリヴァー	ブルースと話し込む	1,850
1967	海音寺潮五郎	日本の名匠	795
1968	岡潔・林房雄	心の対話	1,998
1969	岡潔・司馬遼太郎	萌え騰るもの	595
	岡潔	日本民族の危機	1,998
	オリヴァー	ブルースの歴史	5,980
1971	シフマン	黒人ばかりのアポロ劇場	1,998
1972	ハスキンス	*Haskins Posters*（原書）	39,800

土　曜　社　の　本

西暦	著　者	書　名	本体
1713	貝原益軒	養生訓	895
1791	フランクリン	フランクリン自伝	1,850
1812	水野南北	修身録	1,399
1815	酒井抱一	光琳百図（全四巻）	各1,500
1834	二宮尊徳	三才報徳金毛録	999
1856	富田高慶	報徳記	2,998
1884	福住正兄	二宮翁夜話	2,998
1886	ランボオ	イリュミナシオン	2,200
1894	渋沢栄一	雨夜譚（あまよがたり）	895
1896	富田高慶	報徳論	999
1897	勝海舟	氷川清話	895
1900	福住正兄	二宮翁道歌解	999
1903	二宮尊親	報徳分度論	999
1904	岡倉天心	日本の目覚め	714
1906	岡倉天心	茶の本	595
1911	柳田國男	名字の話	595
1914	マヤコフスキー	悲劇ヴラジーミル・マヤコフスキー	952
1915	マヤコフスキー	ズボンをはいた雲	952
1916	マヤコフスキー	背骨のフルート	952
	マヤコフスキー	戦争と世界	952
1917	マヤコフスキー	人間	952
	マヤコフスキー	ミステリヤ・ブッフ	952
1918	アポリネール	アポリネール詩集	2,800
1919	大杉栄	獄中記（新版）	1,998
1920	マヤコフスキー	一五〇〇〇〇〇〇〇	952
1922	マヤコフスキー	ぼくは愛する	952
	マヤコフスキー	第五インターナショナル	952
	エリオット	荒地	2,000
	大川周明	復興亜細亜の諸問題（上・下）	各495
1923	大杉栄	日本脱出記（新版）	1,998
	大杉栄	自叙伝（新版）	1,998
	大杉栄	大杉栄書簡集	1,850
	伊藤野枝	伊藤野枝の手紙	1,850
	山川均ほか	大杉栄追想	952
	大杉栄	*My Escapes from Japan*（日本脱出記）	2,350
	頭山満	頭山翁清話	1,998